Estudio estructural de la literatura clásica española

Vittorio Bodini

Estudio estructural de la literatura clásica española

Ediciones Martínez Roca, S. A.

Título original: *Segui e simboli nella «Vida es sueño» y Studi sul barocco di Góngora*

Traducción de Ángel Sánchez-Gijón, de la edición original italiana de Adriatica Editrice y Edicioni dell'Ateneo

Indice

Nota preliminar

Nos complace presentar al lector de NOVOCURSO dos textos del recién desaparecido hispanista italiano Vittorio Bodini, textos ambos que, si bien fueron escritos y concebidos en épocas diversas, tienen el denominador común de la metodología aplicada en su elaboración.

Signos y símbolos en «La vida es sueño», subtitulado «Dialéctica elemental del drama calderoniano», fue publicado por primera vez en 1968, mientras que «*Estudio sobre el barroco de Góngora*» corresponde a una redacción de 1964.

El propio autor manifestó en diversas ocasiones el temor de que, si aparecían publicados ambos estudios en un solo volumen, se considerara su trabajo por un lado pretencioso (no se agota aquí el marco crítico de los dos autores tratados) y, por otro, excesivamente vulgarizador (se trata de monografías específicas que han de encuadrarse en un proyecto más amplio de profundización crítica —textual e ideológica— sobre estos autores).

Su repentina desaparición nos ha privado de una introducción del propio Bodini destinada a ensamblar estos dos trabajos en la crítica de la literatura clásica española y por tanto, se ha considerado oportuno manifestar aquí el criterio y los temores que abrigaba con respecto a la presente edición. Valga, pues, como último homenaje a un gran hispanista hasta ahora desconocido para el lector de habla castellana.

EL EDITOR

Signos y símbolos en «La vida es sueño»

Dialéctica elemental del drama calderoniano

1
Pluralidad de planos
del laberinto de la "Vida"

Si leemos el drama «La vida es sueño» pasando por encima de las trampas y de los falsos objetivos filosóficos de que se encuentra sembrada la obra —basta pensar en el falso señuelo del mensaje onírico que ha extraviado a tantos críticos— la sensación constante que nos acompaña es la de atravesar una selva de estructuras, de geometrías y de símbolos perfectamente solapados. A medida que avanzamos, sentimos que a nuestras espaldas se cierra y solidifica un espesor de signos, en el que es lícito sospechar todo un sistema de solidaridades semánticas, establecidas no cásualmente, sino a través de una rigurosa estrategia de respuestas colocadas en los puntos y modos más conscientes, según una lógica inmanente de la misma creación. Así pues, a partir de tal sospecha, es decir, de un sentimiento instintivo no falto de una considerable dosis de azar, trataremos de descubrir, independientemente de la abundancia de estudios existentes, pistas e indicios inexplorados o no explorados en la dirección que nos proponemos. Una vez encontrados estos indicios y pistas, trataremos de ver si es posible ordenarlos según un nuevo y significativo esquema conductor; sólo podremos estar seguros de ellos cuando hayamos llegado en nuestra investigación a un punto bastante avanzado. El que esta posibilidad se realice no dependerá de una particular prerrogativa de nuestro análisis, sino simplemente del hecho de que una nueva lectura pueda tratar de poner en eviden-

13

cia datos que están allí y que nadie ha estudiado por la sencilla razón de que a nadie le pareció que valiese la pena hacerlo, y de que, efectivamente, no eran utilizables fuera de una cierta perspectiva. De este modo, el mérito de un eventual descubrimiento habrá que atribuirlo menos al investigador que a la diversidad de objetivos (quizá más limitados en comparación con las amplias síntesis críticas precedentes) perseguidos por una nueva metodología, confiando en que el mismo texto, interrogado en este nuevo sentido, coloque a quien indaga en el buen camino y lo lleve a obtener resultados que no habrían sido posibles en condiciones diversas.

Hubiéramos preferido observar las estructuras vislumbradas, extrayendo libremente sus pruebas de lo vivo del texto, con la garantía de distanciación y de manejabilidad que poseen las fichas, libres y disponibles para asociaciones más congeniales, tanto en el interior como en el exterior de la obra —pero siempre en el ámbito calderoniano— con morfemas y sintagmas que pusieran de manifiesto con ellas relaciones de isomorfismo. Y si el desarraigarlas del texto excluye, como se puede intuir, toda una serie de relaciones, de intercambios y de imperceptibles acuerdos nacidos contemporáneamente a ellas, esta pérdida se vería indefectiblemente resarcida por las nuevas conexiones que, sin tener el aire familiar de las primeras, tendrían, sin embargo, la capacidad de provocar mil reacciones inesperadas y, seguramente, un radio más amplio de conclusiones. Esta sería la vía más directa para llegar a una cristalización de la materia mítica, junto con la garantía de que los símbolos obtenidos con esta operación mostrarían el más absoluto desinterés con respecto al texto de origen.

Pero hemos debido renunciar a las ventajas de una más neta formalización que tal método consiente, por varios motivos. Uno de ellos es el carácter inusitado de los símbolos y los mitos que nos proponemos sacar a la luz, y la consiguiente dificultad de que sean aceptados, por lo menos como formando parte de un sistema que no dejará de parecer paradójico o fantástico. Entre las medidas de cautela que tal dificultad sugiere, se encuentra la de poder recurrir a un continuo control perspectivo y retrospectivo en el interior de la obra. Finalmente, precisamente al luchar contra los riesgos de ciertas generalizaciones que veremos, pretendemos mostrar que, en el drama que examinamos, la semántica se hace función, es decir auténtica estructura teológica, arrebatando al puro mundo de los tropos metáforas y otros signos polimorfos, sutiles y activísimos, y desenmascarando su profunda solidaridad, incluso cuando se presentan como contradictorios. Se trata de imágenes y secuencias polimorfas extremadamente complejas, de una identificación emocional en un objeto, mejor dicho, en una serie de objetos simbólicos [1] sensibilísimos que, a veces, viven de una propia autosuficiencia semántica y, en cambio, otras, se ven afectados, incluso por las más pequeñas perturbaciones ambientales, que no pueden seguirse sino a través de la comprobación, caso por caso, de las relaciones —positivas o no— entre símbolos y realidad circunstancial, es decir, con una lectura progresiva que se mantenga fiel a cada obra, pero que deje abierta la puerta a comparaciones con símbolos y signos sacados de otros dramas calderonianos. A todas estas razones que nos han decidido a optar por tal método de lectura, hay que añadir la de la irradiación capilar con la que los signos que nos interesan están distribuidos en la obra, permeando casi en su totalidad una sección de ella según un corte bastante significativo. Por ello, debemos seguirlos tanto en el entramado de sus relaciones contextuales, como en el juego de correspondencias, dilaciones y de reapariciones, siempre con la impresión de tener en la mano el hilo de un ovillo, cuya validez queda, sin embargo, aplazada a una cita sucesiva, si es que la hay. Esta sensación de moverse y actuar no por encima, sino por debajo del texto, es el precio, pero en cierto sentido también el premio, de una investigación estructuralista. Y más aún en el caso de este texto que con sus estratificaciones, camuflajes, refringencias y enmarañados cruces de símbolos es uno de los más estimulantes, por una especie de reto que parece lanzado entre el autor y el lector.

En efecto, en *La vida es sueño*, Calderón alza una estructura laberíntica nacida en la soledad de su mente, si no sobre las ruinas o sobre el fracaso de lo real, por lo menos, en el más completo despego de lo humano, en el sentido de una universalización de temas, motivos y técnicas con respecto al teatro a la manera de Lope, lo cual implica una contracción abstractiva del individuo lopesco. Por ello, cuando

---

1. Nos referimos a la distinción spitzeriana entre símbolo y alegoría: L. Spitzer, *A Method of interpretating Literature*, Northampton, 1949, pp. 32-33.

consigue liberarse del *unicum* lingüístico-poético, tiene el rigor de un razonamiento matemático cuyos signos obedecen solamente a aquellas reglas que les son intrínsecas. Después de Góngora, nunca hemos estado más próximos a la crisis de la literatura, en el sentido moderno de su función o posibilidad de alternativa o de correctivo del mundo de la realidad; pero, mientras en Góngora su fruto es la creación de un resplandeciente supercosmos sensibilísimo, la alternativa que Calderón nos propone aquí es la de un «confuso laberinto» del corazón, de un caos desordenado y múltiple en el que, quizá, sólo puede poner orden la luz vislumbrada o esperada de un símbolo. En la *Vida* advertimos un enmarañado pluralismo, ofrecido a nuestra conciencia como un problema de cuya solución puede depender nuestra suerte. Es un problema, mejor dicho, un haz de problemas, cuya contextualidad, ya por sí misma, representa una potencial estructuralidad en embrión: los datos, los elementos en que se basan, a menudo son conocidísimos y no sería difícil en muchos casos remontarse hasta una precisa paternidad o a una concreta área cultural, pero son rescatados por un teleologismo y una tensión hacia combinaciones rigurosamente nuevas, de calculado misterio, de donde adquieren el sentido de una originalidad, ciertamente no enriquecida con los esmaltes y la frescura de lo nuevo en sentido absoluto, pero más meditada y más responsable.

Si ahora quisiéramos experimentar conjeturas críticas totalmente desvinculadas de las líneas interpretativas clásicas de la *Vida* —y, por lo tanto, sin querer competir en absoluto con ellas—, a fin de ver si a través de una exploración llevada a cabo por los subterráneos canales de la imagen poética, nos es posible captar y poner en evidencia elementos simbólicos, más al alcance de la sensibilidad de nuestro tiempo que a la de la crítica anterior, lo primero que hay que hacer es ver cuáles son las estructuras externas, *visibles*, en que se puede descomponer la obra y cuáles son las estructuras en que, de hecho, ha sido descompuesta.[2] El

2. A pesar de que hemos intentado mantener nuestro estudio fuera de los campos tradicionales que han interesado a la crítica calderoniana en Italia, nos ha sido de gran utilidad la relación de los estudios italianos sobre Calderón desde el siglo XVII hasta nuestros días realizada por un grupo de hispanistas. El vol. *Calderón in Italia, Studi e ricerche*, Librería Goliardica Editrice, Pisa, 1955, contiene: *Introduzione* (G. Mancini); *Note sull'interpretazione di Calderón nel Seicento* (*idem*); *Motivi Calderoniani nella letteratura settecentesca* (I Pepe); *Giudizi di Romantici italiani su Calderón* (R. Froldi); *Calderón nella critica italiana del Novecento* (C. Samonà).

primer estrato que se encuentra, partiendo desde abajo, es decir, el primero cronológicamente, es la fábula del sueño. Como es sabido, es la readaptación de una fábula de las *Mil y una noches*: la fábula del mendigo Abou Hassan, a quien el califa hace narcotizar y que recobra el sentido ocupando el puesto del califa en su propio palacio. Después de hacerle vivir varias horas en esta ilusión lo narcotiza nuevamente y cuando se despierta de nuevo, ha vuelto a ser el mendigo de antes.[3] Y no hay ninguna razón para no detenerse aquí. En cambio, en Farinelli,[4] la exploración del tema del sueño llega *ad infinitum*, y su mérito, por reducción al absurdo, es precisamente el inmunizar al lector de la tentación de seguir por un camino tan estéril y vano. Las otras dos estratificaciones están constituidas por una duplicidad de periferias, de intenciones y de lenguajes que divide en dos la unidad del drama, obligando a coexistir bajo el mismo techo a dos núcleos, que no dudaríamos en definir heterogéneos. De las dos tramas, la que indicaremos como A es, ciertamente, la más próxima al tema y a la fábula del sueño, a la que está unida indisolublemente, mientras la segunda trama le es completamente extraña. El lenguaje de los personajes que intervienen en ambas tramas cambia al pasar de la una a la otra, pero no por ello carece de interés el seguir sus transformaciones o excesos.[5]

Trama A:

Basilio, rey de Polonia, desde el nacimiento de su hijo Segismundo, lo tiene encerrado en una torre porque —siendo docto en astrología— había leído en las estrellas el vatici-

---

3. Hay críticos que prefieren dar una solución pluralística al problema de las fuentes de la fábula del sueño. La objeción de que la fábula califal es sólo un texto cómico y no trágico no nos parece que tenga ningún valor determinante. Se trata, en todo caso, de un problema alejadísimo de nuestra investigación.
4. A. Farinelli, *La vida es sueño*, Bocca, Torino, 1916.
5. Para legitimar la separación en las dos tramas hemos encontrado un apoyo en L. Pfandl, *Historia de la literatura nacional española en la Edad de Oro* (trad.), Barcelona, 1952, pp. 452-453. Pfandl se declara contrario al método de los resúmenes analíticos al uso en las monografías alemanas sobre las obras calderonianas: «Lo conveniente sería poner al descubierto, en una exposición suficientemente detallada, el pensamiento dominante, manifestar su enlace con la acción y separar, si existe, el elemento parasitario.»

nio de que su hijo se rebelaría contra él, humillándolo y provocando graves desórdenes en el reino. Segismundo crece en la cárcel sin otra compañía que la de su preceptor Clotaldo y sin haber visto nunca nada del mundo. Para ponerlo a prueba, Basilio hace que Clotaldo le suministre un narcótico y lo hace llevar a la corte, donde, habiendo recobrado el sentido entre el lujo y el poder, tan en contraste con su salvaje existencia, sus instintos se desencadenan con ferocidad: echa por un balcón a un siervo que ha osado contradecirle; riñe con su primo Astolfo y trata de violentar a Rosaura y de matar a Clotaldo que corre a defenderla. Convencido de la veracidad de los astros, Basilio le hace dar de nuevo el narcótico y ordena que vuelva a ser encarcelado en la torre, donde al despertarse, se le hace creer que todo ha sido un sueño. Liberado por una sublevación del pueblo que lo considera el legítimo heredero, vence a Basilio con la ayuda popular; pero en lugar de la anunciada venganza, escarmentado por las experiencias tan contradictorias que ha sufrido, hace levantar a su padre que se había humillado ante él (confirmando, pues, pero sólo literalmente el vaticinio de las estrellas) y deja vislumbrar con sus primeras acciones lo que será el reinado de un monarca justo y generoso.

Trama B:

Rosaura, seducida por Astolfo, duque de Moscú, para vengarse, se viste de caballero, y acompañada por Clarín, siervo gracioso, va a Polonia a cuya corte ha sido convocado Astolfo por su tío Basilio. Además de su seductor, Rosaura busca en Polonia a su padre natural, que le es desconocido, y del que no tiene más señal de reconocimiento que una espada que había dado a su madre tiempo atrás. Durante el viaje penetra con Clarín, sin proponérselo, en la prisión de Segismundo, y, por haberlo visto, deberá ser condenada a muerte, según lo establecido por el rey Basilio. Clotaldo, a quien corresponde ejecutar la condena, reconoce su propia espada y sin descubrirse a Rosaura, se convence de que ésta es su hija. Por ello, conduce a Rosaura y a Clarín a la corte para poner la decisión en manos del rey. Pero éste ya ha revelado a la corte el secreto de Segismundo, ya que está decidido a ponerlo a prueba y los dos prisioneros son liberados. Rosaura confiesa a Clotaldo que es mujer, y poniéndolo al corriente de la ofrenta que ha sufrido, le pide que la ayude contra Astolfo. Clotaldo hace vestir a su hija con prendas femeninas y la hace entrar al servicio de la princesa Estrella, otra sobrina de Basilio a quien Astolfo hace la corte, ya que Basilio, si fracasa el experimento a que quiere someter a Segismundo, está decidido a nombrar herederos a sus sobrinos, una vez casados. Mientras tanto, Segismundo, atraído por Rosaura, trata de violentarla; Clotaldo trata de oponerse, pero Segismundo lo habría matado a no ser por la oportuna intervención de Astolfo. A Clotaldo le resulta cada vez más difícil ayudar a su hija en sus deseos de venganza. Después de la sublevación popular, Rosaura, arrebatada por la cólera, se endosa una armadura y va a ofrecer su brazo a Segismundo a cambio de una venganza que sirva de reparación a su honor. Después de la victoria, Segismundo, no obstante la atracción que siente por ella, hace casar a Rosaura —a quien Clotaldo reconoce ahora por hija— con Astolfo y él se casa, a su vez, con Estrella.

Por una parte, el drama escatológico, el eterno motivo del alto desafío del hombre a su propio destino y su oscilación entre experiencias tan pavorosamente diversas o en las vertiginosas oscilaciones entre sueño y realidad, al cual no se puede negar un denso y sorprendente valor de poesía, aunque Benedetto Croce discute toda validez de concepto filosófico a la duda y al extravío de la huidiza realidad de los sueños.[6] Por otra, una vulgar comedia palaciega, montada sobre los trillados motivos de la galantería y del honor, con mecanismos perfectos y vacíos.[7] La desigualdad entre acción

    6. B. Croce, *Letture di poeti*, Laterza, Bari, 1966, IV, pp. 42-43: «¿Es, tal vez, un concepto filosófico la duda y la turbación que se apoderan de nuestro ánimo cuando la realidad, a la que participamos y que se ha desvanecido, nos parece que ha sido un sueño? Es un concepto o una duda filosófica el modo de decir que toda la vida es siempre y nada más que sueño; modo de decir que tendrá, a veces, un contenido sentimental pero al cual no se puede atribuir un contenido lógico, pues ¿cómo podría ser un sueño toda la vida, si el sueño es una forma particular dentro de la vida misma, que se puede llamar así solamente en cuanto se la distingue del no-sueño, de la vela? Si todo fuese sueño, es palmario que nada sería sueño.»

    7. Con una curiosa preocupación botánica, Carducci expresaba su propia intolerancia por tal «...embrollo que se apiña sobre una fábula simple en sí misma y austera, como hiedra que oprime e insulta con su verde estridente, el verde obscuro y severo de una antigua encina». (*Opere*, Bologna, 1889, III, 21 y sgs.).

principal y acción secundaria es tan patente que indujo a algún crítico a sostener que sería necesario suprimir del drama la «parte pegadiza».[8] Juicio que no compartimos, ante todo, porque estamos de parte del consumidor barroco, para el que la eventual supresión habría significado la supresión de todo aquel entrar y salir de los personajes de una trama a otra, como a través de muchos invisibles pasillos laberínticos en cuyas luces diversas diversamente se colorean. No debe olvidarse que, llegados a este punto, para los barrocos entra en funcionamiento el mecanismo del desafío a combinar lo heterogéneo. Además, en nuestro caso, la diferencia es aún más concreta debido a que la trama B es una trama absolutamente superficial, no en sentido peyorativo, sino en sentido literal, es decir, que se desenvuelve por entero en la superficie, mientras la trama A tiene diversos planos y sus profundidades y recovecos son incontables.

La Vida y La hija del aire

El relieve de algunas constantes tanto en el terreno temático como estructural de la Vida[9] nos ha inducido a ampliar su investigación a otras obras. En efecto, su valor es distinto si se circunscribe a una sola obra, excepcional por añadidura como la Vida; en cambio, tienen otro valor si, al repetirse por lo menos en otra obra, tales constantes pueden admitir la hipótesis de un sistema. Por lo que respecta a la naturaleza de los datos de que disponemos, la primera obra que se nos ocurre —tanto por su título como por su trama— es La hija del aire. A continuación se verá por qué.

La Hija es el drama gemelo de la Vida, no sólo por algunas relevantes analogías en la trama, en las situaciones y en la psicología de los dos protagonistas —ambos gigantescos, exclusivos y marcados de modo semejante por la mano del hado, hasta el punto de que se piensa en Semíramis como un Segismundo, no diremos que con faldas pero sí con vestidos femeninos— sino también a nivel del lenguaje, ya que ambos giran en torno a núcleos afines de metáforas y formas lingüísticas. El cuadro de las afinidades es tan rico y

8. M. Menéndez y Pelayo, *Estudios y discursos de crítica histórica y literaria*, Madrid, 1942, III, 223.
9. Emplearemos las abreviaturas *Vida* por *La vida es sueño* (drama). La edición que estamos siguiendo es la de A. Valbuena Briones, *Obras completas, t. I, Dramas*, Aguilar, Madrid, 1966.

evidente que se puede pensar que la *Hija* haya nacido en la misma aura que la *Vida* y que responda a los mismos problemas simbólicos y estilísticos; en tal caso, nuestra confrontación perdería mucho, ya que muchas analogías se podrían atribuir a razones mecánicas de coincidencia cronológica de las dos obras. Pero, mientras la *Vida* es del año 1635, la *Hija* se representó en 1653 y, probablemente, se escribiera poco antes. Así pues, este retorno al cabo de dieciocho años a la densa aura del símbolo y de la violencia que hay en la *Vida*, en la esperanza de tener todavía algo que decir, de recuperar, de un tema tan cargado de fascinación, o para revivir a través de esta especie de segunda jornada la inquietante atmósfera y los problemas de su solitario héroe, adquiere un particular significado. El mismo razonamiento vale para *En esta vida todo es verdad y todo es mentira*, representado en 1659, en el que, a diferencia de la *Hija*, sus analogías con la *Vida* ya fueron destacadas por Menéndez Pelayo,[10] que, además considera que *En esta vida* y la *Vida* son los únicos dramas de Calderón enteramente filosóficos, mientras Farinelli alude a Heraclio, el protagonista de *En esta vida*, como al hermano espiritual de Segismundo.[11] Si estos dos dramas nos permiten tender puentes interpretativos y lingüísticos hacia la *Vida*, dando lugar a una serie de relaciones clarificadoras, una búsqueda de núcleos fijos e invariables en la escenografía o en el texto exigía comprobaciones más amplias, lo cual hemos hecho con la lectura de otras obras como *El mágico prodigioso, Los dos amantes del cielo, El hijo del sol, Faetón, La Sibila de Oriente* y *La fiera, la piedra y el rayo*.[12]

El paisaje dinámico

El drama de la *Vida* parte airosamente de un paisaje dinámico que se desvela progresivamente al lector, y que con

10. *Op. cit.*
11. *Op. cit.*, p. 281. Farinelli descubrió no pocas afinidades en la trama y el texto entre la *Vida* y el drama *Los cabellos de Absalón* que hacen posible incluso hacer comparaciones interlineales en algunas escenas (pp. 268 y 430-435).
12. Las abreviaturas empleadas para estos dramas son *Hija* para *La hija del aire; En esta vida* para *En esta vida todo es verdad y todo es mentira*, y *Mágico, Dos amantes, Faetón, Sibila, Fiera*. La edición es la ya citada de Valbuena Briones. Como en esta edición falta la numeración de los versos de las obras, hemos tratado de obviar a este inconveniente al menos en la *Vida*, cuyas citas llevan las indicaciones del acto, de los versos, de la página y de la columna. Para las otras obras, se citan sólo las dos últimas.

sus sombras pavorosas, precipicios, peñascos y cárceles parece ofrecernos la equivalencia ampliada al pantógrafo, de la violencia, de la ferocidad, de los sombríos abismos y de los enredos del alma del protagonista. Mientras en otras obras de Calderón o de otros autores de la época, el escenario tiene un mero carácter práctico o de referencia, en el escenario de la *Vida* vemos converger inseparablemente escenografía y símbolo, anunciando y prefigurando un esfuerzo de compenetración humano-natural, con la ayuda de componentes que son portadores semánticos de los elementos del universo. Conviene advertir que, cuando hablamos de relación funcional entre héroe y paisaje, no nos referimos a la vaga y explícita similitud entre los caracteres del personaje y de la peripecia y su ambientación en un *décor* que repite y figurativiza su acción, sino a toda una serie de analogías secretas, revelables solamente en el portaobjetos del microscopio lingüístico.

Esto nos lleva a ocuparnos también de la cuestión de la credibilidad del texto, especialmente, como veremos, y por las razones que veremos más adelante, por lo que respecta a la acotación inicial. Al no existir en España una edición crítica de la *Vida* seguimos la edición que más se acerca a una edición mítica, la de A. Valbuena Briones, fielmente realizada, hasta en sus más groseros (e insidiosos) errores de imprenta, según la edición de 1640 hecha por el hermano del dramaturgo, Ioseph Calderón, en vez de la de 1636, del mismo don Ioseph, de cuya existencia no hemos encontrado más testimonio que una cita de Salvat. Tal edición dice:

Jornada primera
Sale en lo alto de un monte Rosaura en hábito de hombre de camino, y en representando los primeros versos va bajando.[13]

Existe otra edición posterior debida a un poeta amigo de Calderón, don Juan de Vera Tassis y Villarroel, cuya acotación inicial presenta levísimas variantes:

13. *Primera parte de las Comedias...*, Madrid, 1640.

Jornada primera
Sale en lo alto de un monte Rosaura en hábito de hombre de
camino, y en diciendo los primeros versos baja.[14]

Son variantes sin ningún peso por lo que respecta a nuestro estudio. Y de todos modos, la edición príncipe de 1636, *si ha existido*, no pudo dejar de mantenerse dentro de estos límites que nos proporcionan, con levísimas diferencias lexicales («representando-diciendo», «va bajando-baja») un idéntico contenido de referencias. Obsérvese con qué parsimonia está regulada la acción del personaje —Rosaura— y cómo, en cambio, se posterga la atención al paisaje para el que los espectadores cuentan con otro tiempo y con otros medios de fruición, es decir, sus ojos. En el siglo XIX, en una conocida edición romántica,[15] un escritor teatral como Hartzenbusch realiza un auténtico atentado a esta gradualidad de desarrollo que compenetra por completo escenario y periferia, colocándose en el punto de vista de un lector apresurado y subrogándole aquel escenario que sus ojos no ven, con una arbitraria simplificación que empobrece los continuos intercambios entre paisaje y acción, entre paisaje y símbolo en la progresión —que no vacilaríamos en llamar cinematográfica— con que las perspectivas se suceden unas a otras, cambian, se corrigen, se desvelan y vuelven a confundirse, ya que, a medida que los personajes avanzan en la escena, lo hacen también las sombras de la noche entre la cerrazón de los montes, multiplicando errores y miedos.

En estas escenas iniciales, Rosaura y Clarín son dos reactivos introducidos en el escenario que se nos va revelando exclusivamente a través de las observaciones y las emociones que provoca en ellos; por tanto, debemos preferir a la substancia visiva del escenario el mensaje de la palabra, escrita o hablada, si no queremos perder lo que de trepidante progresión hay en la aparición del paisaje. Rosaura pregunta a su caballo por dónde se ha metido.

---

14. *Primera (—novena) parte de Comedias del célebre poeta español Don P. C. de la B.* Madrid, Sanz. 1685-91.
15. *Comedias*, Ed. de J. E. Hartzenbusch, Madrid, Rivadeneyra, 1848-1850, 4 vols. «Jornada primera. A un lado monte fragoso y al otro una torre cuya planta baja sirve de prisión a Segismundo. La puerta que da frente al espectador está entreabierta. La acción principia al anochecer. Escena primera. Rosaura, vestida de hombre, aparece en lo alto de las peñas, y baja a lo llano; tras ella viene Clarín.»

¿dónde [...]
[...] al confuso laberinto
de esas desnudas peñas
te desbocas [...]?
I, 3-8, p. 501, c. 1

Tenemos la visibilización inmediata del futuro «laberinto» de la «razón». En efecto, con esta imagen Calderón expresa no sólo el ciego vagar de Rosaura por las pétreas entrañas de los montes, sino también, y sobre todo, la condición —diríamos hamletiana— del alma, sus intrincados laberintos, la incertidumbre y la angustia de la decisión y el miedo, no a equivocarse, sino a mutilarse, a suprimir en una elección errónea lo que hay de más verdadero y válido. Angustia, no sólo del error sino incluso de una verdad en la que el error está tan profundamente arraigado. Que el laberinto se encuentra no en la naturaleza sino en la mente del hombre, nos lo dice otro personaje calderoniano, Crisanto, en *Los dos amantes del cielo*, con la misma fórmula interrogativa y con casi las mismas palabras que las del parlamento de Rosaura que citaremos más adelante:

¿Qué intrincado laberinto
de milagros, de misterios
es este, que yo, que ha tantos
años que estudio y leo
divinas y humanas letras,
ni le alcanzo ni le entiendo?
Dos amantes, p. 1072, c. 1.

Y antes había dicho:

¡Qué triste mi entendimiento!
¡Qué sin razón *mi discurso!*
p. 1071, c. 1.

Se identifica con este estado laberíntico, cuya imagen petrificada representa, por ello, el paisaje, no sólo Rosaura, sino todo el drama, que enmarañado, cerrado y tortuoso como es, asume el símbolo y la sombría coloración del laberinto. Calderón actúa como el músico que en la *ouverture* anticipa, preanuncia y ensaya temas y motivos, algunos de los cuales desarrollará a lo largo de su obra o la acompa-

24

ñarán subterráneamente, aflorando de vez en cuando en fugaces alusiones, pero, mientras tanto, el lector, que todavía no puede orientarse en el laberinto de las acciones, no es capaz de distinguir cuáles de ellas deben repetirse o desarrollarse en el curso de la obra. Teniendo debida cuenta del valor que en la semiología tienen las reiteraciones, podremos valorar el hecho de que en el mismo primer acto de la *Vida* se encuentren otras dos designaciones del laberinto, hechas por Segismundo:

> *monstruo de su laberinto* [...]
>
> I, 140, p. 502, c. 2.

y en boca de Clotaldo con referencia a Rosaura, con el mismo adjetivo «confuso» (del que es variante el citado «intrincado»), y precisamente al final del primer acto, es decir, en posición perfectamente simétrica:

> *¿Qué confuso laberinto*
> *es este, donde no puede*
> *hallar la razón el hilo?*
>
> I, 975-977, p. 510, c. 2.

El sintagma «confuso laberinto» aparece en Góngora en un contexto jocoso: el «confuso laberinto» en que se encuentra el propietario de un raído par de calzones cosidos a cuchilladas cuando intenta remendarlos:

> *¡Mecánica valentía,*
> *bien que su temeridad*
> *le va entrando en un confuso*
> *laberinto criminal!*
>
> rom. 73-1614.[16]

El recuerdo del «confuso laberinto» de esta poesía burlesca gongorina se acentúa más con respecto a «confuso» (empleadísimo en Góngora: «confusamente», «confusión») que a «laberinto», que Calderón relaciona con el entendimiento humano; obsérvense los famosos versos: «con *pie* incierto/ la confusión pisando del *desierto*» (del soneto gongorino

---

16. Millé y Giménez, Madrid, 1951. Se advierte que todas las sucesivas citas de Góngora se refieren a la misma edición de Millé y Giménez.

259-1.594) [17] que debieron influir en los versos de la misma escena:

[...]
a pie, solos, perdidos y a esta hora
en un desierto monte,
[...]

I. 46-47, p. 501, c. 2

El sintagma en cuestión reaparece con todo su peso en la *Hija* en un punto importante:

> *Nunca vi*
> *tan confuso laberinto*
> *de bien marañadas ramas*
> *y de mal compuestos riscos.*
>
> *Hija*, p. 722, c. 1.

Calderón emplea muchísimo «confuso» en la *Vida* y en la *Hija,* tanto de adjetivo en función de participio pasado, y además emplea «confusamente» sin cesar. En la *Hija* observamos que, precisamente al principio, lo emplea en una metáfora que es una perfecta flor culterana:

> [...]
> *ese confuso reloj*
> *de los vientos* [...]
>
> *Hija*, p. 716, c. 1.

En Góngora se pueden contar hasta nueve acepciones diversas del uso del estilema, lo cual se explica, en cuanto éste corresponde a una función central en el sistema estético gongorino, que libera substancias, objetos y cualidades de sus sistemas de relaciones con lo real para poder, precisamente, confundirlos y barajarlos como una baraja y obtener, mediante cándidas aproximaciones, puras esencias poéticas de una complejidad cristalina y compacta. La máquina de lo sensible, desmontada y reconstruida según las leyes exclusivas del resultado poético, puede en cualquier momento desvelarnos insospechados secretos. No obstante su posible ascendencia gongorina, el estilema en Calderón

---

17. *Op. cit.*

26

abarca casi siempre, con un énfasis culterano, un arco de acepciones entre las que reconocemos las de «caótico, intrincado, mezclado, obscuro, poco perceptible, perplejo, turbado, humillado». En la mayoría de los casos encierra una maraña de significados, o apenas sólo de matices, que mantienen unidos lo físico y lo moral. Sin embargo, a pesar del modo distinto en que los dos poetas emplean este signo, detrás de él advertimos —con toda la sugestión de una intuición no demostrable o demostrable a duras penas— la presencia de una fuente remota pero todavía vigente —el Ovidio de las *Metamorfosis*—[18] por la traición de las cosas, que actúa en los dos efectos tan opuestos. El problema del trasplante de una forma poética de un sistema a otro, aun sin dejar de ser una usurpación, en cierto modo plantea el problema de volver a calificar y volver a motivar un signo ajeno asumido como significante, operación que veremos repetida innumerables veces en nuestro autor.

En el monólogo de Rosaura hay otra indicación que se refiere al paisaje:

> [...]
> *bajaré la cabeza enmarañada*
> *de este monte eminente,*
> *que arruga al sol el ceño de su frente.*
> I, 14-16, p. 501, c. 1.

donde *enmarañada* refuerza el sentido de la confusión, del embrollo, de la cabeza enmarañada. Nos encontramos en el área del antropomorfismo gongorino del *Polifemo;* allí Góngora compara el antro del cíclope a un tremendo bostezo de la montaña; aquí (y se trata siempre de imágenes monstruosas), Calderón atribuye al monte una frente de ceño arrugado. El paisaje está humanizado, aunque sea en clave torva e iracunda, y, en ambos, la analogía está planteada con la misma elíptica limpieza.

En las palabras de Rosaura no hay ninguna indicación de la hora ni de la luz del paisaje; estos datos nos los dará Clarín a continuación, no como una inerte información, sino perfectamente vividos y encarnados con su propio destino:

---

18. V. Bodini, *Studi sul Barocco di Góngora,* Roma, 1964.

> *Mas ¿qué haremos, señora,*
> *a pie, solos, perdidos y a esta hora*
> *en un desierto monte,*
> *cuando se parte el sol a otro horizonte?*
> I, 45-48, p. 501, c. 2.

Clarín también es presa del miedo; este aferrarse a un más libre cielo, del que va desapareciendo la luz, no hace más que agudizar la impresión de una escalofriante cárcel de piedra, que, no sólo anticipa la prisión de Segismundo, sino que da la particular coloración del drama. Ninguna acotación, con su inerte esquematismo, habría podido expresar la extraordinaria vida, a un tiempo íntima e infinita, de este paisaje, mejor dicho del itinerario cambiante que recorremos en él, con sus sombras móviles y pavorosas, y la sensación de emboscada que mantiene alertas a los personajes, haciéndoles oponer mil precauciones a los engaños de la esperanza. Dice Rosaura:

> *Mas si la vista no padece engaños*
> *que hace la fantasía,*
> *a la medrosa luz que tiene el día,*[19]
> *me parece que veo*
> *un edificio.*
> I, 50-54, p. 501, c. 2.

Con la misma prudencia habla también Clarín:

> *O miente mi deseo*
> *o termino las señas.*
> I, 54-55, p. 501, c. 2.

Al dinamismo intrínseco de la escena en la que lo real está ahora sumergido, amasado, simulado y de nuevo propuesto, se añade el desplazamiento de los dos personajes, los cuales, habiendo bajado de lo alto del monte, avanzan por el valle, que es el valle, necesariamente breve, representado por el escenario. Tan es así, que Rosaura puede distinguir claramente el edificio, cuyos contornos se distinguían apenas un momento antes, y describirlo:

---

19. Recuérdese de Góngora «pisando la dudosa luz del día», *Fábula de Polifemo*, v. 72 (416-1613).

Rústico nace entre desnudas peñas
un palacio tan breve,
que el sol apenas a mirar se atreve;
con tan rudo artificio
la arquitectura está de su edificio,
que parece, a las plantas
de tantas rocas y de peñas tantas
que al sol tocan la lumbre,
peñasco que ha rodado de la cumbre.

I, 56-64, p. 501, c. 1.

Entre las líneas quebradas y amenazadoras de un desnudo escenario agreste, lo que debería haber sido un tranquilizador signo de una presencia humana o, en cualquier caso, de la mano del hombre, vemos que se trata en realidad de un tosco edificio que parece que tuviera miedo de alzarse y de mirar al sol, como si prefiriera confundirse con los elementos más informes y rudos del círculo de montes que domina despóticamente la escena; predilección ejemplar en una escenografía barroca y que nos recuerda ciertas telas de Salvator Rosa, donde la figura humana, o las señales de la presencia humana, naufragan en el paisaje como un atónito detalle, subordinado a la misma naturaleza que el Renacimiento le había colocado en torno como un elegante marco. Así pues, la torre, rústica y torva, está tan asimilada al resto del paisaje que parece un peñasco caído desde la cima. Se niega la presencia del hombre, aun en su forma más mediata, y se cumple el proceso de petrificación del paisaje.[20] Esta identificación corresponde a la ley de correlación y subordinación indicada por Wölfflin como el paso de lo múltiple a lo unitario. La torre no sólo retrocede y se empequeñece para no alterar la unidad del conjunto, si no que, con la ilusión dinámica de haber caído desde lo alto de la cima, añade una pavorosa sensación de inestabilidad y de degradación. Advertimos que el último verso citado tiene un preciso valor semiológico: advertimos que entre él y nuestra línea de lectura hay un acuerdo que por ahora parece secreto, una significación sobre la que hemos de volver.

---

20. En la *Hija* la dinámica de la deshumanización llega aún más adelante porque se suprime la torre, y la cárcel donde se encuentra Semíramis es una caverna.

Pero Segismundo está a punto de hacer su entrada, tan largamente diferida y preparada. Rosaura le da el último toque con estos versos en los que la imagen gongorina de la entrada al antro de Polifemo, se utiliza aún más claramente:

> La puerta
> —mejor diré funesta boca— abierta
> está, y desde su centro
> nace la noche pues la engendra dentro,
> [...]

I, 69-72, p. 502, c. 1.

Disipará cualquier duda sobre la derivación gongorina de la imagen la descripción —encontrada en otro drama— de una caverna cuyo sostén metafórico es precisamente el «bostezo» del antro ciclópeo:

> [...] funesta
> boca a quien dura mordaza
> de un risco tenía entreabierta
> como esperezo por quien
> melancólico bosteza
> el monte, [...]

En esta vida, p. 1114, c. 1.

Aquellas fauces abiertas de par en par, prontas a cerrarse y a tragar en su propia sombra mortal a los dos míseros, representan, tal vez, un exceso de lenguaje, susceptible de alterar, en vez de acrecentar, la resonancia emotiva con el escándalo demasiado evidente de un horror que presagia el paisaje macabro de la novela negra. Obsérvese, finalmente, la centralización de la obscuridad nocturna, cuyo centro se presume en el interior de la torre. Esta búsqueda del punto de partida o de convergencia de objetos lingüísticos es una operación frecuente en Calderón; cada cosa tiende, tal es lógicamente, a su origen natural. Así, en la *Vida* se mide el centro del mar:

> [...] el pez [...]
> midiendo la inmensidad
> de tanta capacidad

como le da frío el centro;
[...]

I, 143-150, p. 502, c. 2.

Y en el *Mágico,* las convergencias de los caminos hacia
una ciudad:

> [...] *No hay de cuantas*
> *veredas a aqueste monte*
> *o le línean o le pautan,*
> *una que a dar en sus muros,*
> *como en su centro, no vaya:*
> [...]
>
> p. 609, c. 2.

En la *Hija,* esta geometrización se aplica a los sentimientos o al ritual de la ceremoniosidad cortesana con una pa-
radójica extensión:

MENÓN *Hasta llegar a tus plantas,*
     que son mi centro y mi esfera,[21]
     violento diré que estuve.

NINO   [...]
     Alza del suelo; a mis brazos
     que son centro tuyo llega.
     [...]

         Hija, p. 729, c. 1.

El descubrimiento de la puerta abierta, que es además
puerta-boca-matriz de la noche, y que no deja de ser un
hecho bastante extraño tratándose de una prisión que encierra un celoso secreto de estado, muestra que los dos personajes, mientras hablan, se han acercado más a la torre.
Es más, de repente se encuentran ya dentro de ella, y, precisamente en la estancia en que se encuentra el prisionero.
El irrealístico desprecio por la física es el mismo de una
cámara de cine que, desde un campo larguísimo, mediante
rápidos acercamientos sucesivos, salte del exterior al interior, y aquí filme la escena del protagonista encadenado y

21. En el *Mágico* encontramos otra forma geométrico-emocional: «Linea de
mi esperanza», p. 630, c. 1.

31

salvado de las tinieblas por una débil luz dentro del gusto tenebrista más puro. Pero, llegados a este punto, en vez de seguir adelante, debemos invertir la dirección y volver al punto de partida para recuperar signos y símbolos capaces de revelar sistemas semánticos y estructurales que han quedado escondidos detrás del paisaje.

El hipogrifo violento

Un añejo problema concerniente al principio del drama turba al lector —precisamente en sus comienzos— colocándolo entre el Escila y Caribdis de dos comunicaciones discordes e incompatibles entre sí: lo que sugiere la acotación, y lo que dice el parlamento de Rosaura.

Rosaura está vestida de hombre (mejor dicho, de viajero). Cuando se levanta el telón, se ve aparecer un hombre en la cima de un monte del que, luego, desciende. Hay en él algo extraño que excita la curiosidad del espectador. Sucesivamente, por sus gestos, movimientos y palabras, se comprende que se trata de una mujer vestida de hombre. Esto es un tópico del teatro español del Siglo de Oro,[22] y no sólo del teatro (Cervantes echó mano de él tanto en el *Quijote* como en el *Persiles y Sigismunda*); si volvemos aquí a él es porque nos proponemos volver a examinar todo lo que se refiere al personaje de Rosaura. El espectador, pues, prueba hacia ella diversos órdenes de sentimientos: en primer lugar, el gusto de una complicidad que lo hace partícipe del engaño, contento de conocer un secreto que los otros personajes ignoran, y saboreando ya la sorpresa que provocará el descubrimiento del disfraz. ¿Y qué razones han podido llevar a una mujer a una resolución tan extrema, y en un paisaje tan bravío, de cuyo contraste el espectador siente más concreta su femineidad mórbida y blanca? ¿Y cómo se quedarán los hombres entre los que ella habrá vivido, como una tierna presa, sin que hayan podido sospechar, por ese pequeño ardid, las ocasiones de violencia que tenían al alcance de la mano? (Pero cuando vuelva a vestir prendas femeninas, ¿no quedarán en ella algo de aque-

---

22. Una serie de casos de mujeres disfrazadas de hombre, particularmente en Lope de Vega, han sido estudiados por M. Romera Navarro, *Las disfrazadas de varón en la comedia*, en «Hispanic Review», 1934, II, 269.

lla experiencia por haber violado la frontera infranqueable de los sexos y haber vivido, con atuendo masculino, una realidad masculina que representa para ella, por mil intercambios incontrolados y ambiguos entre ficción y realidad, una experiencia que, tal vez, ya desde ahora la turba?) Y, ante todo, ¿dará resultado el ardid? Esta incertidumbre —otra predilección barroca— se disipa bastante pronto, apenas Rosaura encuentra a Segismundo prisionero en la torre. Presa de uno de sus desmesurados ataques de violencia destructiva, Segismundo se lanza contra ella para destrozarla, creyendo que es un caballero, y, de golpe, se detiene, «enternecido por *su* voz, perplejo por *su* aspecto y turbado por *su* presencia». «¿Quién eres?», le grita, mientras él también se va sintiendo turbado por la atracción que siente (y se irrita por ello), porque lo desarma, impidiéndole siquiera el rozarla.[23] ¿Pero cómo es posible que no se haya dado cuenta de su naturaleza? ¿Y cómo es posible que tampoco se den cuenta ni Clotaldo ni los soldados que llegan inmediatamente? ¿Cómo puede un cuerpo femenino de curvas turgentes y larga melena —por no hablar de la tersura del rostro ni de la delicadeza de las manos— pasar desapercibido a los hombres en una época en que las mujeres viven tan netamente apartadas y en la que los mismos confines entre los dos sexos son infranqueables como el día y la noche, sin todos esos planos intermedios, que en nuestros días, atenúan y equilibran su diversidad?

Esta tentativa de valorar el grado de credibilidad narrativa de los disfraces no tiende, por supuesto, a desvalorizar la obra literaria que recurra a ellos, sino sólo a comprobar, o a sobreentender, cuáles son, y dónde están en ella, los vínculos más fuertes entre ficción y realidad y dónde, en cambio, es posible, e incluso más agradable para el que goza de ella, su relajamiento o el sacrificio total de la verosimilitud.

A este primer elemento de incertidumbre habría que añadir otro bastante más grave, capaz de invalidar no sólo la categoría del sentido común, sino incluso las condiciones objetivas de la representabilidad de la escena inical. Se trata

---

23. En dos dramas, por lo menos, Calderón vuelve a emplear el tema del descubrimiento tardío del otro sexo, variando las dosis; en *En esta vida* son dos jóvenes, Heraclio y Leonido, que, criados ocultamente en una selva, nunca han visto una mujer; en la *Hija*, Semíramis, segregada en una gruta, nunca ha visto otro hombre que el viejo sacerdote Tiresias.

del episodio del hipogrifo violento, tan funestamente relacionado con el comienzo del drama y con el personaje de Rosaura. Al levantarse el telón, ésta ha tenido tiempo (y, sobre todo, modo) de dirigir a su caballo encabritado que la arrastra a un despeñadero del monte, un larguísimo apóstrofe cuya complejidad, debida a una condensación culterana y conceptista al mismo tiempo, habría exigido el más alto grado de concentración sea por parte del lector, sea, en grado mayor aún, por parte del público, agredido en frío por aquella escena y aquellas palabras. Releamos el comienzo:

Jornada primera

Sale en lo alto del monte Rosaura en hábito de hombre de camino, y en representando los primeros versos va bajando.

ROSAURA: *Hipogrifo violento*
que corriste parejas con el viento,
¿dónde, rayo sin llama,
pájaro sin matiz, pez sin escama,
y bruto sin instinto
natural, al confuso laberinto
de esas desnudas peñas
te desbocas, te arrastras y despeñas?
¿Quédate en este monte,
donde tengan los brutos su Faetonte;
que yo, sin más camino
que el que me dan las leyes del destino,
ciega y desesperada,
bajaré la cabeza enmarañada
de este monte eminente,
que arruga al sol el ceño de su frente.
Mal, Polonia, recibes
a un extranjero, pues con sangre escribes
su entrada en tus arenas,
y apenas llega, cuando llega a penas.
Bien mi suerte lo dice;
mas ¿dónde halló piedad un infelice?

I, 1-22, p. 501, c. 1.

No es posible imaginar mayor disonancia y diferencia

entre dos signos —el verbal y el gestual— de un mismo significado, cada uno de los cuales divergería hasta la contradicción más estridente: y mientras la ejecución de la parte gestual bastaría por sí sola para echar por los suelos a la heroína, la verbal la hace caer en el ridículo.

No hay ninguna acotación escénica del tiempo de Calderón que nos diga qué solución escénica se dio a este «monstruo» (en el sentido calderoniano de «híbrido» innatural). Ochenta años después de su muerte, la reacción anticalderoniana y antibarroca alcanzará su nivel más clamoroso con un curioso librito, *Desengaños al teatro español*,[24] cuyo autor se mofa del modo más impertinente de todo el teatro español del Siglo de Oro imputándole varios delitos —o por lo menos, considerados tales por los nuevos cánones estéticos—, y, en primer lugar, su inverosimilitud. Ídolos ayer respetados y amados son lanzados en el polvo entre las risas y aclamaciones del público; nada ni nadie se salva, ni siquiera *La Vida*, que, al contrario, ofrecerá al sarcasmo desacralizador de don Nicolás el ejemplo más vistoso y conocido: «Esto de olvidar la naturaleza, y en vez de retratarla desfigurarla, es muy frecuente en don Pedro Calderón. El principio de su comedia: *La vida es sueño* lo acredita. Yo quisiera saber, si una mujer que cae despeñada por un monte con un caballo, en vez de quejarse donde le duele y pedir favor le dice aquellas impropias pedanterías, que las entiende el auditorio, como el caballo. Si algún su apasionado cayese por las orejas, llámele Hipogrifo violento, y verá como se alivia».[25] Desde entonces, la sombra de la interpretación moratiniana se impondrá al texto, formará una unidad con él, sin posibilidad de elección para el lector, al cual ya no le será permitido leer el paso sin representarse contemporáneamente aquella infamante objeción, tan lesiva de su validez escénica y poética, como un lienzo en el que se note la torpe mano del restaurador. En lugar del texto de Calderón tenemos, pues, un texto de Calderón-Moratín, que se convertirá en lectura nacional, y, por lo tanto, universal, ya que, como es obvio, no ha dejado de influir en críticos y traductores extranjeros.[26] Actualmente se lee este episodio con una son-

24. Nicolás Fernández de Moratín, *Desengaños al teatro español*, Madrid, 1762.
25. *Ib.*, *pp.* 29-30.
26. No son excepción nuestros traductores P. Monti, A. Monteverdi, F. Carlesi, o, en otro campo, el mismo Farinelli.

risa secreta o explícita, que hace doblemente famoso al hipogrifo violento. En una reciente historia literaria, la de A. Valbuena Prat (autor además de varias ediciones de *La Vida*) el equívoco del abstruso paso está, además de vulgarizado, enriquecido por otra observación negativa: «Notemos en *La vida es sueño*, desde el comienzo, cómo aparecen los motivos del caballo-hipogrifo, que corre como el viento, que se despeña y arrastra, pero al que se quiere contener, obligar a "quedarse" en el monte...»[27] El contrasentido que Valbuena Prat ve entre los verbos dinámicos y el imperativo «quédate» es otro de los inconvenientes de la lectura basada en la violenta escisión entre lo que Rosaura debe decir y lo que debe hacer.

Una unanimidad tan compacta parece que debería hacer perder toda esperanza de desenredar la enmarañada madeja. Y, sin embargo, una solución existe. Para encontrarla es necesario volver a la raíz histórica del error, es decir, a la más general incomprensión e intolerancia de la ilustración neoclásica con respecto a un lenguaje estético como el barroco que estaba en las antípodas de él, aunque fuera contiguo en el tiempo.

Lo que nos sorprende, no es tanto un equívoco nacido bajo el impulso de una caza general a los errores del siglo XVII proclamada por el racionalismo dieciochesco, cuanto que este equívoco se haya podido perpetuar en la crítica posterior sin encontrar adecuada rectificación ni siquiera en un siglo como el XIX, que inventó historiográficamente al barroco y que puso de relieve grandes simpatías de fondo con el siglo XVII en el campo específico de la poesía e identidad de técnicas, de formas alusivas a la misma manera de cruzar la frontera entre realidad y metáfora, y más ampliamente, entre realidad y retórica. Lo cual ya ha consentido en el terreno de la crítica española tantas revisiones y tantas revalorizaciones hermenéuticas; baste por todos el nombre de Dámaso Alonso.

Para dos poéticas tan afines, maestras ambas de ambigüedad, resolver el problema del Hipogrifo debería haber sido una cosa bastante fácil: en efecto, todo está en realizar una elección medianamente prudente entre plano real y metáfora, entre presencia y ausencia, y el problema deja de

27. A. Valbuena Prat, *Historia de la literatura española*, Barcelona (7.ª ed.), 1963, II, p. 488.

existir, se desvanece. El paso en cuestión es un ejemplo típico de coincidencia de las dos funciones divergentes del lenguaje, que podríamos llamar con Frye centrífuga y centrípeta: la una tiende a referir al auditorio un mensaje relativo a los antecedentes inmediatos del drama que se consideren oportunos para ponerlo al corriente; la otra, en cambio, se dirige a la misma estructura retórico-poética, de la cual el espectador discriminará el mensaje mismo. En su parlamento, Rosaura se dirige al caballo; Moratín (padre), tomando al pie de la letra sus palabras, cree que éste se encuentra allí, ante los ojos del espectador. En cambio, no hay ningún caballo, como tampoco hay ninguna caída de Rosaura en la escena. La acotación no hace la mínima alusión, pero, en cambio, se preocupa —y con razón— de concretar algunos detalles importantes de la entrada de Rosaura, a pie, en la escena, como el modo en que debe ir vestida y el momento en que debe iniciar —bajando— la recitación de los versos famosos. Así pues, todo es un fantástico juego de prestidigitación, como un retablo de las maravillas que hace ver a todos lo que no hay. Engañado por las palabras de Rosaura, Fernández de Moratín cree que su parlamento se dirige realmente al cuadrúpedo mientras en cambio, en la forma retórica del apóstrofe al caballo «ausente», hay sólo una explicación que la mujer —vestida de hombre y a pie— se ve obligada a dar a los espectadores de la circunstancia en que —«anteriormente»— ha sido desmontada.

Las razones poéticas por las que Calderón elige la forma del apóstrofe al caballo ausente del que Rosaura ha sido desmontada «antes de que se alce el telón», hay que atribuirlas simplemente a las exigencias retóricas del lenguaje metafórico-cultista en que —aquí como en otro lugar— se concreta el personaje de Rosaura. Rodando por la pendiente de su propio error, don Nicolás, convencido de que la caída de Rosaura debe tener lugar en la escena, en vez de hacer coincidir su parlamento con la acotación, adecúa ésta a aquélla, y añade a una acción desordenada e incontrolable el absurdo del complicadísimo discurso que Rosaura debería pronunciar simultáneamente a la presunta caída.

La maraña de dificultades y contradicciones que obscurecen el paso y lo hacen difícil de descifrar, desaparece de golpe, simplemente ateniéndonos a la acotación, que, al ser parte no poética sino práctica, debe contener, y en efecto contiene, indicaciones inequívocas acerca de las acciones que el personaje debe realizar, mientras el parlamento de Rosaura no es más que una información en clave lírica de los acontecimientos que precedieron a su aparición. Y en efecto, he aquí como el tránsito del hipogrifo de la realidad escénica a la memoria salva el texto del injusto estigma:

> *Hipogrifo violento*
> *que corriste parejas con el viento,*
> *[...]*

En la subordinada —aparte el tratamiento ariostesco del caballo, del que nos ocuparemos más adelante— con el recurso de hablar al caballo ausente, *que ha corrido parejas con el viento* («corriste» tiene un valor aspectual de pretérito perfecto), Rosaura explica, pues, claramente, lo que ha sucedido. Como ya se ha dicho, lo hace para dar a conocer por qué razón ella, que se da aires de doncella errante, está vestida con traje de camino y de varón en una tierra tan desierta y desolada, pero sin caballo. Así pues —dejados de lado los elementos que no sirven ni a una ni a otra lectura—, surge el interrogativo:

> *¿dónde [...]*
> *[...] al confuso laberinto*
> *de esas desnudas peñas*
> *te desbocas, te arrastras y despeñas?*

con el cual Rosaura se pregunta dónde a esta hora su caballo se estará desbocando, arrastrando y (con los ojos de la fantasía) despeñando por el precipicio (nótese el trimembre «in crescendo»). El siguiente verso (que contiene la presunta contradicción observada por Valbuena Prat) ahora es sencillísimo; habiéndoselo imaginado en el momento de despeñarse, Rosaura dice:

> *Quédate en este monte*
> *donde tengan los brutos su Faetonte;*

Quédate en esta montaña. Ella aleja de sí la imagen del caballo despeñado, desplomado, no sin haber procedido a su sublimación mítica (Faetonte), después de lo cual señala la divergencia simétrica entre la suerte del caballo sin jinete y la suya propia de amazona sin cabalgadura:

que yo sin más camino
que el que me dan las leyes del destino,
ciega y desesperada
bajaré la cabeza enmarañada
de este monte eminente,
[...]

En los versos siguientes:

Mal, Polonia, recibes
a un extranjero, pues con sangre escribes
su entrada en tus arenas,
[...]

La sangre de que habla Rosaura pudo haber sido vertida realmente como consecuencia de la caída, o ser una expresión metonímica.

Téngase en cuenta, finalmente, que Clarín, resumiendo la situación en que él y Rosaura se encuentran, unos veinte versos más adelante dice:

Mas, ¿qué haremos, señora,
a pie, solos, perdidos y a esta hora
en un desierto monte,
[...]

Una vez encontrada la clave adecuada, todas las dificultades desaparecen como por encanto, el sentido discurre clarísimo, en la medida en que puede serlo un contexto culterano y, sobre todo, desaparece el contraste entre parlamento y acción que había ensombrecido el episodio con su ridículo absurdo. Su liberación de las pesadas superestructuras ilustradas que lo sofocaban, no sólo tiene el valor de una normal operación filológica de restauración textual, sino que también ofrece una aportación bastante más importante para la inteligencia poética del paso. En efecto, éste representa, en las espirales de su atormentada riqueza, la enunciación de un complejo problema de álgebra poética, colocado allí, en el umbral del drama, que lo desarrollará y que, por lo tanto, tenía que estar destinado a la total atención, virgen, del espectador al levantarse el telón, y no al alboroto y a la caída del cuadrúpedo en el escenario.

Debería haber sido evidente que aquí se estaba superando una categoría plenamente aceptada por la poética calderoniana, como la de lo irreal, para caer groseramente, y en este único caso, en la del absurdo, absurdo poético y escénico a un tiempo. Joaquín Casalduero [28] es el único crítico que ha intuido esta imposibilidad por parte de Calderón de superar tal límite. Dándose cuenta de que lo que no funcionaba en la caótica situación era la coordinación de los tiempos de la caída y de la recitación del parlamento de Rosaura, Casalduero ha propuesto una división de la escena en cinco fases:

1. Se levanta el telón.
2. Rosaura aparece en lo alto arrojada con violencia.
3. Rosaura permanece en la cima el tiempo en que recita 16 versos de su parlamento.
4. Baja.
5. En el centro del escenario dice los otros 4 versos.

De este modo, se elimina alguno de los más vistosos inconvenientes de la anterior lectura: por ejemplo, se suprime el estorbo del caballo desbocado en el escenario, pero no la caída de Rosaura en el escenario, y esto demuestra una vez más como ni siquiera Casalduero, aunque se acerque más que nadie a la verdad, ha conseguido situarse libremente ante el texto y rescatarlo de torpes y necias superestructuras, aunque trate de reducir su daño mediante sus capciosos fraccionamientos de la escena, como si Calderón, al decir que Rosaura aparece en la cima de un monte y empieza a decir los versos mientras baja, hubiera querido decir algo distinto de lo que dijo.

28. Joaquín Casalduero, *Sentido y forma de «La vida es sueño»*, «Cuadernos del Congreso para la Libertad de la Cultura», París, 1961, n. 51, pp. 3-13: «Seguramente pasa un breve momento y en lo alto sale arrojada con violencia Rosaura, la cual permanece en la cumbre durante dieciséis versos y luego baja para decir en el centro del escenario: *Mal, Polonia, recibes...*».

2

Estructuras elementales

Hemos examinado dos componentes del sistema de significación en las escenas iniciales de la *Vida*: el escenario y la acción. (Mejor dicho, los dos escenarios: el visivo, ya todo anticipado, presentado en bloque, y el escrito, ralentizado, dialécticamente vivido en los dos personajes, nacido —se podría decir— de sus suspiros y de su angustia.) Hemos examinado también otros mensajes: disfraces y tiempos de entrada en el escenario, en espera de ser acogidos en el mundo del lenguaje y de recibir de él un significado. Del examen de estas dos partes no lingüísticas —el signo iconográfico y el gestual— se puede pasar ahora al mundo del lenguaje, que las recorrerá enteramente, dándoles su luz y su sello y haciéndoles participar, a su vez, en un juego de reacciones e interacciones que combinan la irrealidad con los más increíbles cálculos y figuras algebraicas y geométricas.

Hemos visto a Rosaura bajar a pie; mensaje gestual que poco después ella misma nos explicará con un conjunto de estilemas, que abren entre significante y significado un intersticio tan ancho que es necesario hacer grandes esfuerzos para volverlos a juntar, más allá del sólido ensamblaje de símbolos, de metáforas sensoriales o de razonamientos que recorren todo el cielo de la abstracción, de hipérboles, de juegos de palabras, de referencias literarias o mitológicas, de interrogaciones, de imperativos, de rimas, de juego alternado de heptasílabos y endecasílabos.

Examinemos de nuevo el paso:

> Hipogrifo violento
> que corriste parejas con el viento,
> ¿dónde, rayo sin llama,
> pájaro sin matiz, pez sin escama,
> y bruto sin instinto
> natural, al confuso laberinto
> de esas desnudas peñas
> te desbocas, te arrastras y despeñas?
> Quédate en este monte,
> donde tengan los brutos su Faetonte;
> que yo, sin más camino
> que el que me dan las leyes del destino,
> ciega y desesperada,
> bajaré la cabeza enmarañada
> de este monte eminente,
> que arruga al sol el ceño de su frente.
> Mal, Polonia, recibes
> a un extranjero, pues con sangre escribes
> su entrada en tus arenas,
> y a penas llega, cuando llega apenas.
> Bien mi suerte lo dice;
> mas ¿dónde halló piedad un infelice?

Corresponde al hipogrifo ariostesco hacer el primer movimiento en el tablero de ajedrez del drama. El hipogrifo tiene todas las cartas credenciales en regla para aparecer en un texto cultista; además de tener un origen libresco, fue apadrinado por Lope de Vega que lo considera «vocablo exquisito» (*Arte nuevo de hacer comedias*, I, 268) [1] Aunque Calderón lo haya empleado por lo menos en tres obras,[2] su empleo aquí, como apertura del drama es todo menos casual, como nos lo demostrará toda una serie de lances que derivan de este hecho y en los cuales se podrá vislumbrar la viva

---

1. Milton A. Buchanan (*Culteranismo in Calderón's «La vida es sueño»*, Homenaje a Menéndez Pidal, 1925, Madrid, I, 545-555), compila, de acuerdo con las críticas hechas por los autores de la época (Lope, Tirso, Quevedo, Vélez de Guevara, Rojas, Zorrilla, Moreto), una lista de vocablos usados por los culteranos y rechazados por los puristas; de unos 1800 vocablos cultos, en su mayoría latinismos o italianismos, Calderón sólo usó en la *Vida* 39, y, en general, su uso por parte del culterano Calderón fue siempre inferior al de un purista como Lope.

2. Farinelli, *op. cit.*, p. 427.

estructuración de un sistema. No nos maravilla aquí, como en ejemplos anteriores el que Calderón tome sin pestañear esta fabulosa figura de otro contexto —ajeno—. Sin embargo, Calderón, sumergiéndolo en su propia forma, le da nuevas motivaciones, nuevas responsabilidades semánticas, y así actuará cada vez que recoja mitos, leyendas o elaboraciones ajenas: poco respetuoso de los derechos de invención, como aquí, pero dando nueva virginidad a las formas de que se apodera, al sumergirlas y llevarlas de nuevo atrás, hasta su significado original o, como en este caso, a su pura etimología. Y, de este modo, el hipogrifo, de serena máquina ariostesca de aventura, retrocede hasta el momento en que ya no es más que pura suma de caballo + grifo, forzada conjunción de criaturas pertenecientes a dos elementos distintos, y por ello, símbolo, mitad aéreo, mitad terreno, de una violencia elemental. Cuando el lenguaje de la *Vida* nos sea bastante familiar, se verá claramente que el adjetivo «violento» que acompaña a hipogrifo no es calificativo, sino una simple oposición reforzativa. En el segundo verso, otra violencia: la competición entre el hipogrifo y el viento; luego, cuatro estilemas:

> rayo sin llama;
> pájaro sin matiz;
> pez sin escamas;
> bruto[3] sin instinto natural;[4]

nos reproducen en una simetría formal y un orden impecables, los cuatro elementos:

> fuego
> aire
> agua
> tierra

paradójicamente despojados de propiedades, cualidades o atributos que puedan ofrecer agarraderos a los sentidos o a la mente, y combinados de tal manera que dan lugar a un monstruo desnudo, liso, inaferrable, sin llamas, ni colores, ni escamas, ni instinto, en una mezcla informe que nos re-

3. «Bruto, s. m. Comúnmente se toma por el animal cuadrúpedo, como el caballo, mulo, asno, etc.» *Diccionario de Autoridades*.
4. El «instinto natural» parecía más propio del animal terrestre.

mite al Caos de una conocida cosmogonía, la de Ovidio, o mejor dicho, la cosmogonía que lleva su nombre por haberla expuesto en su *Metamorfosis* (libro I), pero que, en realidad era fruto de las ideas científicas de su tiempo, pudiéndose incluso remontar sus orígenes hasta Empédocles y Aristóteles.

> *Ante mare et terras et, quod tegit omnia, caelum*
> *unus erat toto naturae vultus in orbe,*
> *quem dixere Chaos: rudis indigestaque moles*
> *nec quicquam nisi pondus iners congestaque eodem*
> *non bene iunctarum discordia semina rerum.*[5]

luego la creación del mundo merced a la distinción en cuatro elementos:

> *Ignea convexi vis et sine pondere caeli*
> *emicuit summaque locum sibi fecit in arce.*
> *Proximus est aër illi levitate locoque;*
> *densior his tellus, elementaque grandia traxit*
> *et pressa est gravitate sua; circumfluus umor*
> *ultima possedit solidumque coërcuit orbem.*[6]

Picatoste, un positivista de finales del siglo pasado, en un informe presentado a la Real Academia de Ciencias,[7] reconstruyó el concepto de la naturaleza y de sus leyes en nuestro autor, deduciéndolo de sus obras. Para ello, no tuvo que forzar lo más mínimo los textos, en gran parte de los cuales es evidente la preocupación de edificar la ficción literaria sobre bases científicas, siempre que no estuvieran en desacuerdo con la posición cristiana. Es exactamente el caso de esta parte de la doctrina del mundo antiguo vulgarizada por

5. «Antes del mar, y de la tierra, y del cielo que todo lo cubre, en toda la extensión del orbe era uno sólo el aspecto que ofrecía la naturaleza. Se le llamó Caos; era una masa confusa y desordenada, no más que un peso inerte y un amontonamiento de gérmenes mal unidos y discordantes...» Trad. de A. Ruiz Elvira, *Metamorfosis*, Barcelona, 1964, I, p. 6, vv. 5-9.

6. *Ib*, p. 7, vv. 26-31: «La substancia ígnea y sin peso del cielo cóncavo dio un salto y se procuró un lugar en las más altas cimas. Inmediatamente después en peso y situación se encuentra el aire. Más densa que ellos, la tierra arrastró consigo los elementos pesados y se apelmazó por su propia gravedad; y el agua que la rodea ocupó el último lugar y abarcó la parte sólida del mundo.»

7. Felipe Picatoste, *Calderón ante la Ciencia. Concepto de la Naturaleza y sus Leyes*, Madrid, 1881.

Ovidio, y que la Escolástica había ya aceptado y tolerado, habiendo encontrado el modo de conciliarla con el Génesis. Picatoste capta el carácter dinámico de las relaciones entre los elementos en Calderón: «Los elementos quedaron constituidos con existencia propia e individual y con cualidades opuestas, lo suficiente para su coexistencia dentro de una gran unidad...» Esto hace prever desde ahora que los eventuales conflictos elementales que se pudieran verificar no serían ni absolutos ni permanentes, sino momentos en el juego de una coexistencia, de una alternativa entre acuerdo y desacuerdo.

El único estudio que hace frente a un problema tan singular como el modo de comportarse de los elementos en el lenguaje poético calderoniano, se debe a Edward M. Wilson.[8] Wilson, habiendo puesto en evidencia una gran abundancia de ejemplos de ecuaciones en el interior de cada elemento, estableció un auténtico proceso de equivalencias en el mecanismo de la imagen poética entre cada uno de las elementos (o su sinónimo) y las respectivas creaturas u objetos inanimados. En este cuadro de presencias elementales también podemos remontarnos a Ovidio:

> *Illic et nebulas, illic consistere nubes*
> *iussit et humanas motura tonitrua mentes*
> *et cum fulminibus facientes fulgora ventos...*
> *Neu regio foret ulla suis animalibus orba,*
> *astra tenent caeleste solum formaeque deorum,*
> *cesserunt nitidis habitandae piscibus undae,*
> *terra feras cepit, volucres agitabilis der.*[9]

Sus observaciones sobre las infinitas combinaciones elementales lo llevan a la compilación de una auténtica tabla, o como él la llama, lista de los ingredientes usados por Cal-

---

8. Edward M. Wilson, *The four elements in the imagery of Calderón*, en «The Modern Language Review», Londres, 1936, XXXI, 34-37. Véase también algunas alusiones a los cuatro elementos en Cesareo Bandera, *El itinerario de Segismundo en «La Vida es sueño»*, «Hispanic Review», 1967, XXX, n. 1, pp. 69-84.

9. *Op. cit.*, I, vv. 54-75: «En él ordenó que estuvieran las nieblas, en él las nubes y los truenos que atemorizaran los corazones humanos y los vientos que producen los relámpagos y los rayos ... Y para que ninguna región estuviera desprovista de los seres vivos que le corresponden, los astros y las formas divinas ocuparon el suelo celeste, cayeron en suerte las aguas a los peces brillantes como lugar de habitación, la tierra recibió a las fieras, a las aves el movedizo aire.»

derón en sus recetas metafóricas. Dadas las frecuentes referencias que tendremos ocasión de hacer a ella, creemos más cómodo reproducir tal lista, advirtiendo que es, naturalmente, incompleta y, por lo que se refiere a algunos términos, sin contextos de apoyo.

TIERRA

Elemento: Tierra, campo, jardín, campañas, arena, yerba, peñas, montes.
Seres inanimados: monte, pirámide, torre, alcázar, montaña, escollo, selva, muro, columna, sierra, risco, ciudad, pira, roca, peñasco.
Seres animados: caballo, elefante, gigante, Atlante, hormiga, flores.
Atributos del elemento: flores, matas, polvo, fruta, rosa, clavel.
Atributos de los seres: verdores, perlas, piedra, ramos, pie, anca, cola, etc.

AGUA

Elemento: mar, agua río, golfo, ondas, piélagos.
Seres inanimados: nave, bajel, galera.
Seres animados: delfín, pez, sierpe, cisnes, pescado, sirena.
Atributos del elemento: sal, hielo, nieve, espuma, cristal, coral, aljófar, zafir, plata, ámbar.
Atributos de los seres: escama, velas, pino, jarcias, lino, timón, remo, etc.

AIRE

Elemento: aire, viento, cielo.
Seres inanimados: exhalación, huracán, nube.
Seres animados: ave, pájaro, águila, neblí, etc.
Atributos de los seres: plumas, penachos, picos, alas, etc.

FUEGO

Elemento: fuego, cielo,[10] firmamento, empíreo, incendio.

---

10. Nótese que *cielo*, contextualmente pertenece a la esfera del *aire* y a la del *fuego*.

Seres inanimados: sol, cometa, astro, lucero.
Seres animados: fénix, mariposa,[11] salamandra, Apolo, Faetón, comunero.[12]
Atributos: luz, rayos, relámpagos, llama, humo, ceniza, pavesa, centellas, oro (y azul, celestial, cerúleo, etéreo).

Una vez establecido tal esquema, Wilson estudia las atracciones que los fenómenos naturales o las intervenciones sobrenaturales ejercen sobre él; en particular, la confusión de los elementos («Calderón lets the confusion of elements tell their own story, merely letting the creature or attribute of one element be that of another»),[13] o el intercambio visivo de los elementos, que da lugar a imágenes visivas no caracterizadas —como la primera serie— por movimiento o violencia. Negada la originalidad de tales tipos de metáforas que Calderón tomó de todos los poetas de su tiempo que lo precedieron, especialmente de Góngora, Wilson afirma —y a nosotros nos interesa particularmente este punto de vista— que Calderón no sólo no inventa el esquema, sino que lo «standardiza», y que en comparación con Góngora, el cual no trata nunca de imponer aquel esquema a sus lectores, Calderón es menos sutil y más rígido. «Nevertless, such a sistem for turning out images to a pattern must be considered a defect.»[14]

Nuestra investigación, orientada, ya antes de conocer el

11. Sobre la legitimidad de atribuir la «mariposa» a la esfera del fuego, véase lo que dice el *Diccionario de Autoridades*: «Cierta especie de insecto o gusano con alas, muy pintado y hermoso, el cual tiene inclinación a entrarse por la luz de la candela, y assí no cessa de dar vueltas hasta que se abrasa.»
12. Miembro de las Comunidades de Castilla sublevadas contra Carlos I. En el curso de esta sangrienta guerra entre comuneros e imperiales, los comuneros, sin duda, pegarían fuego a los bienes de sus enemigos. Esta es la única hipótesis que explica su relación con la esfera ígnea. En la *Hija*, p. 724, c. 1, en el único ejemplo que hemos encontrado, «comunero» está usado como adjetivo, sinónimo de «rebelde» o «usurpador»: «por un comunero eclipse, / que al sol desposeerle quiso / del imperio de los días...».
13. «Calderón deja que la confusión de los elementos cuente su historia, dejando simplemente que la creatura o el atributo de un fenómeno sea el de otro.»
14. «Este sistema de sacar imágenes de un modelo se debería considerar un defecto.» De opinión diametralmente opuesta sobre la valoración comparativa entre Góngora y Calderón es M. A. Buchanan, *op. cit.*: «In the light of this analysis of culteranismo, it may be stated at the outset that Calderón is never intentionally obscure, and belongs rather to the school of Herrera than of Góngora, although it must be remembered that the charge of studied obscurity was likewise laid to Herrera and his followers. Calderón had a fondness akin to a mannerism, for sonorous but intelligible words, especially trisyllabic epithets, which he inherited directly from Latin and Italian literature or from the school of Herrera.»

ensayo de Wilson, hacia una línea de lectura de la *Vida* que pasaba precisamente a través de la misma asombrosa constatación del comportamiento sistemático de los elementos en Calderón, procede, sin embargo, en otra dirección, y en el plano metodológico sigue una dirección opuesta. En efecto, Wilson deduce sus conclusiones de un vasto material recogido en varios autos y dramas. Pero, mientras la variedad de procedencia de las muestras garantiza la autenticidad de la investigación, por otra parte la desvaloriza; en efecto, la verificación procede sólo del exterior y no del interior, de modo que nunca sabremos que puede querer representar cada una de estas muestras en el interior de la obra de que procede; nunca sabremos si tiene algún secreto que desvelar, si se le ha asignado o no un particular mensaje, válido sólo en el ámbito de aquella obra, y cual es ese mensaje. En vez de ponerlas a prueba para intentar un eventual juego de correspondencias y solidaridades, él detiene voluntariamente (a la manera de Curtius) sus conclusiones en el estadio retórico y formal de la imagen poética. Por tanto, nuestro desacuerdo no se refiere en lo más mínimo a su exactitud —de la que nuestro estudio aportará mil pruebas decisivas— sino a su condicionamiento metodológico. A nosotros, en cambio, nos interesa restituir estos sistemas naturales a su ámbito natural para ver si existe entre ellos y su marco legítimo un lazo menos extrínseco y exornativo, si su exigencia nace sólo en la superficie del lenguaje de una obra o encuentra sus razones, una a una a la vez, o incluso sólo alguna vez, en una zona suya más profunda, implicando, en este caso, la probabilidad de un mensaje a nivel semántico. Es lo que ya nos habíamos propuesto hacer con la *Vida*, atraídos y maravillados por la impresionante cantidad de metáforas naturales que afloran por todas partes, y si más tarde se nos ha ocurrido ampliar la investigación —para las oportunas comprobaciones— a otros dramas, fue procediendo por vías internas, hacia obras que parecen tener los mismos problemas estructurales que la *Vida* y son alcanzados y rozados por las mismas secretas ramificaciones. Wilson, basándose, como hemos visto, en la relación entre varias muestras iguales entre sí, sacadas de varios dramas, no podía entresacarlas más que en cuanto constituían rupturas o, por lo menos, simples alteraciones en el cuadro de sus esquemas naturales; sólo en este caso merecían ser puestas en evidencia. Existe, en cambio la posibilidad, que nosotros queremos sondear, de que haya otras varias combinaciones elementales que él no pudo poner en evidencia, porque se basaban en su constancia en el interior de una misma obra; la posibilidad de que haya auténticas funciones que podrían absolver al poeta de una acusación de mecanicidad y abrir sobre la obra una perspectiva, por lo menos curiosa e insospechada.

Rosaura-Caos

El primer paso que hay que dar para establecer si nos encontramos ante una brillante y genérica franja decorativa o ante la motivación de un sistema, es ver si subsisten unas relaciones constantes entre unos signos elementales y una parte de la peripecia o un personaje que sea portador de esos signos o su blanco. Pero, para ello, se necesita una grandísima cautela. Tomemos el personaje de Rosaura: hemos visto que en el apóstrofe inicial, desde sus primeras palabras, y luego algunos versos después, aparecen dos imágenes de violencia elemental:

> *Hipogrifo violento* [...]

y luego:

> [...] *rayo sin llama,*
> *pájaro sin matiz, pez sin escama,*
> *y bruto sin instinto*
> *natural* [...]

Se trata de dos conjuntos sintagmáticos formados de partes no yuxtapuestas pero bien soldadas, como se puede ver, especialmente en el segundo, por el ensamblaje métrico de sus partes, que podríamos transcribir algebraicamente del siguiente modo, representando el «sin» con el signo menos:

$$a - a'$$
$$b - b'$$
$$c - c'$$
$$d - d'$$

En las tres últimas fórmulas, de seres animados del aire,

del agua y de la tierra («pájaro», «pez», «bruto») se han substraído atributos de seres animados del respectivo elemento («matiz», «escama», «instinto natural»). En cambio, la primera fórmula nos da la substracción de un atributo del fuego («llama») de otro atributo del mismo elemento («rayo»).

Una substracción bastante más compleja es la que encontramos en *La Sibila de Oriente*, que sería interesante examinar: la descripción de una nave en movimiento:

> [...]
> *en un delfín que es pájaro sin pluma,*
> *en un águila que es pez sin escama*
> [...]

Sibila, p. 1157, c. 2

provoca dos confusiones elementales: «delfín-pájaro» y «águila-pez». Nótese la inversión de su signo: mar → aire y aire → mar. Y luego la substracción efectuada en el sesgundo término: a dos seres animados («pájaro», «pez») se les han substraído atributos de seres animados del mismo elemento («pluma», «escama»):

$$a = b - c$$
$$a' = b' - c'$$

Las plumas obstaculizarían la identificación entre delfín y pájaro; las escamas dificultarían la identificación entre águila y pez; por ello unas y otras se eliminan. Pero éstas son las más sencillas operaciones de aritmética metafórica calderoniana. En el tercer acto, mientras Segismundo sale a presentar batalla a su padre, Clarín ve a una mujer que se acerca espoleando a su velocísimo caballo, y se la señala: es Rosaura. Para quien pudiese tener dudas sobre la intencionalidad del caótico mecanismo montado en el primer ejemplo de la *Vida*, aquí hay otro, debido, como el primero, a la misma alteración de la realidad de una imagen relacionada con la velocidad:

> *En un veloz caballo*
> [...]
> *en que un mapa*[15] *se dibuja atento,*
> *pues el cuerpo es la tierra,*

> *el fuego el alma que en el pecho encierra,*
> *la espuma el mar, el aire su suspiro,*
> *en cuya confusión un caos admiro;*
> *pues en el alma, espuma, cuerpo, aliento*
> *monstruo es de fuego, tierra, mar y viento;*
> *de color remendado,*
> *rucio y a su propósito rodado,*
> *del que bate la espuela;*
> *que en vez de correr, vuela;*
> *a tu presencia llega*
> *airosa una mujer.*

III, 485-500, p. 527, c. 2.

Así pues, aquí tenemos de nuevo el Caos, la congregación en un solo individuo mítico-monstruoso de los cuatro elementos, metaforizados todos ellos. Pero si el primer caballo, el hipogrifo violento, en su más descarnada enunciación, liberada de lo superfluo mediante las cuatro substracciones, tiene el aire de un desnudo monstruo, este otro está sobrecargado de elementos caóticos. En efecto, existen una serie de datos reales y tres de datos imaginarios dobles que podemos representar en forma de ecuación, miembro a miembro en la primera serie, y en miembros agrupados en la segunda serie:

cuerpo = tierra; fuego = alma; espuma=mar; suspiro=aire; alma, espuma, cuerpo, aliento = fuego, tierra, mar, viento.

Obsérvense, sin embargo, algunos desplazamientos de términos que indicaremos a continuación:

$$a, b, c, d \,/\, b', c', a', d' \,/\, b'', a'', c'', d''.$$

A la impresión caótica contribuyen otros varios signos: la velocidad misma, causa y efecto; la comparación del caballo a un mapa con la consiguiente transformación de lo real en pictórico; un verso aparentemente tautológico como:

15. Cfr. *mapa* en p. 56.

en cuya confusión un caos admiro,

en el que el resultado del cuadro es el mítico Caos (vocablo no analizable como «con-fusión»); el color remendado y rodado del pelaje, que enlaza con la figura pictórica del mapa; operaciones trocadas:

en vez de correr vuela;

e incluso «airosa» (deslexicalizado) se transforma, de cumplido, en el signo de un trueque elemental en cuanto se atribuye a una criatura terrestre, a una «mujer», un adjetivo aéreo.

Así pues, ¿es el caos el distintivo de un personaje como Rosaura, la materia y la condición de sus sentimientos, el signo que revela su pertenencia a una más amplia patria anterior? Sin embargo hay otra posibilidad que considerar, y ésta parece en realidad la verdad más obvia a quien no esté acostumbrado a las mutaciones, a las traslaciones, a las transmigraciones de sentido habituales en el lenguaje calderoniano. Esta segunda posibilidad que hay que cribar es que el signo caótico se refiera, no a Rosaura, sino a su caballo, mejor dicho a sus caballos. Wilson ha puesto de relieve una cierta predilección de Calderón por caballos, naves y pájaros en movimiento, en los que se expresaría «the baroque feeling for force and violence»[16] mediante la substitución de términos de un elemento por los correspondientes a otro elemento. (Obsérvese, de pasada, que caballos, naves y pájaros son seres animados u objetos inanimados de tres de los cuatro elementos: falta el fuego, que se muestra una vez mas como elemento disturbador en la simetría calderoniana.) He aquí un par de ejemplos que se refieren siempre al caballo: el primero que describe el caballo de Ruggero en *Lances de amor y fortuna* es más lineal:

> [...]
> *todos los cuatro elementos*
> *hicieron un mapa*[17] *en él,*

16. «...su simpatía barroca por la fuerza y la violencia». *Op. cit.*
17. Cfr. mapa en p. 54.

> *tierra el cuerpo, mar la espuma,*
> *viento el alma y fuego el pie.*
>
> *Lances de amor y fortuna*, t. II, p. 175, c. 2.

el segundo, de *La Sibila de Oriente* es más elaborado, más complejo y más semejante por exceso de elaboración al segundo caballo de Rosaura:

> [...] *en veloz caballo, cuyo aliento*
> *jeroglífico ha sido de la guerra,*
> *sierpe del agua, exhalación* [18] *del viento,*
> *volcán del fuego, escollo de la tierra,*
> *caos animal, pues con tan nuevo modo,*
> *no siendo nada desto, lo era todo.*
> [...]
>
> p. 1158, c. 1.

Las cuatro fórmulas metafóricas del «caballo» se obtienen por densificación sustancial de las cualidades de cada elemento. Sin embargo, consideramos que no es casualidad el que, por dos veces, núcleos tan densos de signos elementales choquen solamente para subrayar o anunciar la entrada en escena de Rosaura. La sospecha de que entre ella y sus animales dinámicos haya un lazo, una ósmosis, o de que el caballo, que puede ser en general un mero tópico autosuficiente de la velocidad, haya sido instrumentalizado en este caso para representar un nexo entre personaje y caos, es sugerida y se ve reforzada por una serie de condiciones y circunstancias concomitantes, aunque en apariencia pertenecientes a distintas esferas lógicas. El hecho de que el caos ovidiano se transforme, en un plano ético, en el babilonismo del corazón es un paso bastante normal:

> *Yo ofendida, yo burlada,*
> *quedé triste, quedé loca,*
> *quedé muerta, quedé yo,*
> *que es decir que quedó toda*
> *la confusión del infierno*
> *cifrada en mi Babilonia;*
> [...]
>
> III, 611-616, pp. 528-529.

18. Cfr. *exhalación* en p. 71. Aquí es, explícitamente, signo del aire.

Es clara la personificación de la «confusión» y, por tanto, del «caos» en Rosaura, así como, en los respectivos pasos citados, en el «caballo»:

> [...] *caballo* [...]
> [...]
> *en cuya* confusión *un* caos *admiro*
> [...] *caballo* [...]
> caos *animal* [...]

Es más, parece como si Calderón nos ofreciera aquí el equivalente psicológico y en clave de contenido del significado caótico de Rosaura, y de aquí podría partir un intento de interpretación tradicional de un personaje que ha dado lugar a hipótesis tan distintas como la de Pietro Monti, crítico y traductor de Calderón en el siglo pasado, que veía a Rosaura «sobre un caballo indómito, que la arrastra por el precipicio de un fragoso monte, imagen simbólica de la vida, semejante a la selva obscura de Dante»,[19] o como la de Menéndez y Pelayo que la ve como una doncella errante, una de aquellas «heroínas de libros de caballerías, personajes altamente inverosímiles, y que en Calderón no sirven más que para estorbar»;[20] o como la de Sciacca,[21] que la considera una visión de la belleza en sí misma, que trasciende la mera percepción de los sentidos, gracias a cuya intervención Segismundo se despierta a la contemplación de la Verdad en sí misma. Para Wilson,[22] mientras todos los demás personajes del drama son un muestrario de errores, los únicos que se salvan del error y que actúan obedeciendo a dos grandes ideales son Clotaldo, por su fidelidad al rey (lo cual es considerado por Farinelli como inercia moral) y Rosaura, por el sentimiento del honor. Siguiendo las huellas de Wilson, estudiosos anglo-americanos están tratando de revalorizar la trama «parásita» de Rosaura, bien rehabilitando (pero siempre en el plano de los contenidos) su personaje (paralelismo con Segismundo en la desventura, obstinado

19. Pietro Monti, *Teatro scelto*, II, p. 154, Milán, 1885.
20. M. Menéndez y Pelayo, *Estudios y discursos de crítica histórica y literatura*, Madrid, 1941, III, 215.
21. M. F. Sciacca, *Verità e sogno, un'interpretazione della «Vida es sueño»*, «Humanitas», 1951, pp. 472-85.
22. Edward M. Wilson; *La vida...*, en «Revista de la Universidad de Buenos Aires», B. A., 1946, IV, pp. 61-78.

empeño en la reparación del honor ultrajado), bien a través del papel que ella desempeña en el drama y la contribución que aporta a éste en el aproximar *plot* y *subplot*, trama y subtrama.[23]

¿Cómo es posible que haya interpretaciones tan distintas, tan contradictorias de un mismo personaje? ¿Qué es lo que lo hace inaferrable y abierto a toda hipótesis experimental? Existe, evidentemente, un hiato entre significado y significante: un desequilibrio que puede ser debido a exceso del uno o del otro (nosotros creemos que hay exceso de signo externo). Pero también es cierto que la carencia de significado puede agravarse por el hecho de que ha sido buscado en otro lugar por la crítica de contenido, es decir, donde se suelen buscar los personajes.

Pero las hipótesis sobre Rosaura nos interesan bastante menos que lo que nos pueda decir su lenguaje, el único revelador fiel del metapersonaje que hay en ella, y que se expresa a través de toda una serie de signos que manifiestan concordemente, no sólo —como en el ejemplo citado— en la evidencia de la confesión, sino en modo críptico y alusivo, en las mismas tramas de la metáfora y de la función escénica, sentimientos muy próximos como confusión, turbación, incertidumbre, involución y crisis del personaje, como se le entiende generalmente. Lo que deducimos no sólo de aquel «confuso laberinto» o del hipogrifo o de aquellas caóticas incrustaciones y mapas, entre cuyas zonas diferentes se extravía el ánimo, sino también de estos signos y de otros, a cuya afinidad no se ha prestado atención, como la paradoja, preferida por esa afinidad, y que puede considerarse como una violencia a la lógica, del mismo modo que el hipogrifo es una violencia hecha a la naturaleza. En su monólogo al comienzo del Acto 1.°, hemos visto: «pájaro sin matiz, bruto sin instinto natural»; poco más adelante, con un hiperretoricismo constitucional, encontramos, siempre en boca

23. Véase de William M. Whitby, *Rosaura's Role in the Structure of La Vida*, «Hisp. Rev.», n. 28, 1960, pp. 16-27; de Albert E. Sloman, una brevísima nota, de argumento demasiado parcial para poder ocupar todo el espacio de un título como: *The structure of Calderón's La vida es sueño*, «The Modern Language Rev.», XLVIII, 1953, pp. 293-300. Lamentablemente, después de revisadas las galeradas de este libro, hemos sabido que está a punto de publicarse un estudio de Carmelo Samoná sobre la estructura dramática de la *Vida*, de la que se dio un adelanto en una publicación en forma de apuntes, *Saggio di un commento alla «Vida es sueño»*, Roma, 1966-67.

de Rosaura: «vivo cadáver» (I, 94, p. 502 c. 1.); luego, en el acto siguiente (dirigiéndose a Segismundo):

> *Tu favor reverencio.*[24]
> *Respóndate retórico el silencio:*
> *cuando tan torpe la razón se halla,*
> *mejor habla, señor, quien mejor calla*
> II, 635-638, p. 516, c. 2.

luego, en el tercer acto, en un diálogo entre ella y Clotaldo, que, por lo demás, es todo una paradoja:

> [...]
> *nada de ti he recibido;*
> *pues vida no vida ha sido*
> *la que tu mano me dio.*
> [...]
> III, 410-412, p. 526, c. 2.

O juegos de palabras como: «apenas llega, cuando llega a penas» (I, 20, p. 501, c. 1.)

Si del estudio de los tejidos lingüísticos pasamos al del tejido escénico, descubrimos que a Rosaura se le atribuye esta misma función caótica, en cierto sentido destructora, en apariencia inconciliable o remota de las que habrían debido ser las razones de su personaje. En primer lugar, sus disfraces. No hay que menospreciar la importancia del disfraz; en el teatro barroco asume un valor poético además de práctico; es, ni más ni menos, una metáfora viviente, sobre todo en Calderón. Hemos visto que al levantarse el telón el espectador sufre un choc al verla vestida de hombre, lo que indudablemente representa una ruptura de la norma, en la misma costumbre de este expediente. Durante todo el primer acto, la vemos disfrazada y confundida con un hombre; luego, en el segundo acto, va vestida de mujer, pero no por ello cesa el disfraz, que, esta vez, se limita al cambio de nombre en Astrea. Pero en el tercer acto Rosaura se supera a sí misma, presentándose vestida a medias de mujer y a medias de guerrero: pura señal visiva que roza el ab-

---

24. El término «reverenciar» lo señala O. Macrí en Herrera y en el *Vocabulario de las dos lenguas Toscana y Castellana*, de Christoval de las Casas. O. Macrí, *F. de Herrera*, Gredos, Madrid, 1959, p. 336.

surdo, pero, ¿en nombre de qué? ¿Sólo por amor a una abstracción desorientadora o como mensaje iconográfico de ambigüedad, de inquietud, de imposibilidad del personaje de desempeñar un solo papel, de representarse en un solo sentido?

> *Tres veces son las que ya*
> *me admiras, tres las que ignoras*
> *quién soy, pues las tres, me viste*
> *en diverso traje y forma.*
> *La primera me creíste*
> *varón en la rigurosa*
> *prisión [...]*
> *La segunda me admiraste*
> *mujer, cuando fue la pompa*
> *de tu majestad un sueño,*
> *una fantasma, una sombra.*
> *La tercera es hoy, que siendo*
> *monstruo de una especie y otra,*
> *entre galas de mujer,*
> *armas de varón me adornan.*
> *[...]*

III, 525-540, p. 528, c. 1.

Observamos —con una notable *confusión* entre parecer y ser— la introducción en las categorías de la realidad de una equivalencia, llevada hasta la identidad, entre «traje» y «forma» por una parte, y «ser» por la otra, que parirá un «monstruo» que no consigue vivir fuera de la enrarecida atmósfera de los tropos, no obstante la tentativa de Calderón de hacerle pasar las fronteras de lo real, más allá de las cuales su imposibilidad lo hace patética y absurdamente ridículo:

> *Mujer, vengo a persuadirte*
> *al remedio de mi honra;*
> *y varón, vengo a alentarte*
> *a que cobres tu corona.*
> *Mujer, vengo a enternecerte*
> *cuando a tus plantas me ponga,*
> *y varón vengo a servirte*
> *cuando a tus gentes socorra.*
> *Mujer, vengo a que me valgas*

en mi agravio y mi congoja,
y varón vengo a valerte
con mi acero y mi persona.
Y así, piensa que si hoy
como a mujer me enamoras,
como varón te daré
la muerte en defensa honrosa
de mi honor; porque he de ser,
en su conquista amorosa,
mujer para darte quejas,
varón para ganar honras

                                III, 715-734, pp. 529-530.

Añádase a esto que Rosaura interviene en las dos tramas, mejor dicho, es el único punto de unión entre las tramas A y B; su continuo entrar y salir de una y otra provoca dislocaciones no sólo escénicas sino cualitativas, que comportan, como veremos más adelante, profundas ambigüedades y modificaciones lingüísticas; con ello tendremos el cuadro completo de la situación.

Inicialmente nos las hemos tenido que ver con un caballo —caos que si hubiésemos seguido las tesis de Wilson— habríamos debido considerar como un fenómeno indiferenciado y autosuficiente; en cambio, un análisis más profundo nos ha ido revelando toda una secreta interconexión entre Rosaura, el símbolo del caballo caótico, su caída, su repetición, el hipogrifo, el laberinto, los disfraces, el deslizamiento entre las dos tramas, la violencia verbal por exceso de condensación culterana, paradojas, *agudezas*, etc. Todos ellos son signos solidarios que convergen en un mismo punto. Es bastante, por ello, para concluir que nos encontramos ante un campo semántico saturado, que excluye del modo más absoluto el azar.

Se siente la tentación de considerar todos estos elementos escenográficos o lingüísticos como la divisa de un escudo en heráldica o como el bastón de San Pelegrín o el cerdo de San Antonio en la iconografía hagiográfica, es decir, como vistosos signos de reconocimiento, o, tal vez, como salvoconductos de una trama a la otra, mejor dicho, de la subtrama B a la trama A. Es el caso de preguntarse si su función no consiste en proporcionar una coartada o un diversivo para no poner al descubierto la fragilidad interna del personaje en la dialéctica de la colectividad de las personas

58

y del drama. La contradicción de la dirección escénica de la *Vida* está, en efecto, en el gigantismo del personaje único que excluye a los otros y se impone totalmente. Así pues, al primer momento creativo seguiría un momento de *arrangement* teatral, en el que necesariamente aparecerán los otros personajes. Es evidente que los que se aproximan de alguna manera al parámetro central están retóricamente hipertrofiados. Este proceso parece ser particularmente evidente en el personaje de Rosaura, sometido a un vaciado de contenido por una situación formal retórica. Una reacción a este vaciado de contenido es la excesiva universalización hasta llegar al Caos, es decir, a un contenido anormal (que es lo mismo que falta de contenido). Otra hipótesis (no alternativa) es que Rosaura represente precisamente aquel hiato entre realidad y personaje, entre personaje y metapersonaje, y que, por lo tanto, con sus errores y su desorden representa de modo tumultuoso los errores, la obscuridad, la ambigüedad, la inestabilidad, el caos, la contradicción en la categoría del Barroco (esta última representada por su figura de fanática e insidiosa sostenedora, con retraso, de su propio honor, que va a Polonia en busca de su seductor y del de su madre, ¡desconocido a ambas!).

El peso de los símbolos polimórficos que grava sobre Rosaura no atenúa, pues, la debilidad de las razones humanas de su personaje; es más, podría ser un argumento a su favor para una crítica que no sea partidaria de leer el drama en otra clave que no sea el choque de los sentimientos humanamente plausibles. Pero en todo el drama, a Calderón no le pasa siquiera por la imaginación la idea de darnos la visión de una realidad seleccionada y escogida de los datos obtenidos de la observación de la realidad, sino solamente el fruto improbable de su imaginación dramática: un personaje como Rosaura por tanto, no es más que uno de los peones de su juego que iguala el drama con algo más auténtico y absoluto que lo que realmente podría haber sucedido o podría suceder.

En tal contexto metateatral, (más allá de la norma y del ambiente del llamado contexto real psicológico y verosímil) podemos decir que Rosaura y el paisaje que ella recorre para guiarnos *a través de una puerta abierta* hasta Segismundo cumplen funciones paralelas. Uno y otra están sobrecargados de indicaciones y señales, pero en el paisaje no advertimos su exceso, en cambio, en el personaje, sí. El embarazo y la más absoluta disparidad de interpretaciones acerca de Rosaura dependen seguramente del hecho de que el personaje está aplastado y devorado por la pluralidad de las señales que debe soportar; por ello, creemos que, en vez de pensar en el personaje de Rosaura se debería considerar, de una vez por todas, a Rosaura como una función en exceso.

Polarización elemental de Segismundo

Después del largo, accidentado y tortuoso camino, la aparición de Segismundo es la respuesta que esperábamos. Ahora conocemos la meta de todas las señales que Rosaura y el paisaje —ambos emisarios suyos— nos iban poniendo ante los ojos. Rosaura y el paisaje son el laberinto: Segismundo es su monstruoso morador; pero en él, el laberinto se interioriza.

Si en Rosaura se yuxtaponen en un registro caótico, cábalas, filigranas y solidaridades elementales, esto no ocurre, por lo demás, sino cuando se aproxima, y en cuanto se aproxima —dejando a sus espaldas la trama B— a la esfera segismundiana, que, sin duda, constituye la parte de la obra con más poder de atracción. Por ello, el cuadro de las afinidades cósmicas de Rosaura es intermitente, mientras el paradigma elemental de Segismundo extiende sus ramificaciones por toda la extensión del drama que por ello, podría llamarse su drama. El proceso de coartadas que con tanta abundancia de pruebas hemos encontrado en Rosaura se reproduce, en efecto, en el mismo Segismundo; pero, así como hemos visto que gran parte del significado del personaje de Rosaura está *en otro lugar*, fuera de ella, no se podría decir lo mismo de Segismundo. De cualquier modo es evidente que nos encontramos ante una técnica, propia de una pintura bien determinada que desplaza, desencarna y transforma en un color, en una sombra y en un ritmo plástico lo que el cuadro quiere decir. Recuérdese algunas crucifixiones o algunos descendimientos en los que las figuras que habrían debido significar más intensamente la sublimación dramática con el lenguaje de los rostros y de los gestos aparecen, por el contrario, muy circunspectas y hasta serenas, mientras la función de expresar el dolor se confía, por ejemplo, a los trágicos pliegues de las ropas o a la distribución de los claroscuros. A estos medios, si nos refiriéramos en particular al Greco, podríamos añadir las fantasmagóricas lenguas de gélido fuego que, esparcidas por el lienzo, podrían parecer obra del cáprico y que, en cambio, subrogan el contenido del cuadro y colaboran con él. Este *décalage* del interior del corazón humano y de sus acciones a misteriosos correlativos y complementarios estéticos, en un siglo que había comprendido —aunque anteriormente a cualquier formulación teórica— la intercambiabilidad de los lenguajes artísticos,[25] señala con gran evidencia que Calderón aprovechó la lección del Greco, tanto en lo que se refiere a su común desprecio por la proporción (que los críticos de la escuela de Curtius llamarían manierista) como en lo que respecta a la irreal estilización (y al alargamiento) de los héroes; porque a diferencia del caravaggismo que nos da en España formas de un modelado pictórico marcado y vibrante gracias a la luz, en El Greco —como observa Weisbach—[26] la luz «constituye un valor propio, como substancia luminosa que vibra en el éter, se rompe en múltiples reflejos, centellea en torno a los cuerpos, disuelve todo contorno físico y, de tal modo, suscita una sensación de infinito. Esto sirve al pintor como un eficaz recurso expresivo en el mundo estético, para espiritualizar la materia y simbolizar lo divino». ¿Esta poética de la coartada nace de una desconfianza hacia el lenguaje pictórico o literario —como más tarde el estilo informal— y en qué medida? Esta es una hipótesis extremada para señalar un posible campo de trabajo, y a la cual no pretendemos, de ningún modo, vincular nuestra investigación.

Si, como hemos visto, el paisaje agreste es la imagen anticipada y vicaria de Segismundo y de sus abismos, a partir de él deberemos comenzar un rastreo lingüístico que eventualmente nos ofrezca combinaciones de signos elementales que presenten una cierta constancia. En efecto, en muy poco espacio, en las palabras iniciales de Rosaura, vemos

---

25. No se olvide que Calderón fue —si no me equivoco— el primer escritor español que se recuerde como coleccionista de arte. A su muerte, dejó un pequeño museo de obras plásticas de valor; tanto es así que fue llamado como perito testamentario un pintor importante en su época como Claudio Coello. Recuérdese, además, a Gracián en la biblioteca y museo de Lastanosa.

26. Werner Weisbach, *El barroco-Arte de la contrarreforma* (trad. española), Madrid, 1948, p. 172.

un grupo de signos terrestres entre los que asoman dos signos del fuego, el primero de los cuales es el de un ser animado, Faetonte, referido al caballo de Rosaura que aquí se ve mitológicamente ascendido a hijo del Sol, para ser luego internamente degradado a puro signo del elemento ígneo y a una nueva mitología, cuyos puntos de contacto con los signos originales son mínimos. El segundo signo, en cambio, es un ser inanimado: «Sol». Para distinguir más fácilmente tales signos hemos puesto en cursiva los signos *t* (tierra) y con mayúscula los signos *f* (fuego) exclusivamente en la *Vida*:

> [...] *al confuso* laberinto
> *de esas desnudas* peñas
> *te* desbocas, *te* arrastras y despeñas?
> *Quédate en este* monte
> *donde tengan los* brutos *su* FAETONTE...
> *bajaré la* cabeza enmarañada
> *de este* monte *eminente,*
> *que arruga al* SOL *el ceño de su* frente.
> *Mal, Polonia, recibes*
> *a un extranjero, pues con* sangre *escribes*
> *su entrada en tus* arenas...
>
> I, 6-19, p. 501, v. 1.

Hemos subrayado como signos terrestres cuatro verbos:

desbocarse
arrastrarse
despeñarse
enmarañarse

que, como tales, no están incluidos en el esquema de Wilson, basado como hemos visto, en los sustantivos y no en sus acciones. Pero en los ejemplos citados, las voces muestran visiblemente —casi diríamos ostensiblemente —el sustantivo terrestre en su raíz:

boca
rastro
peña
maraña

Los signos terrestres son:

laberinto: ser inanimado
peñas: ser inanimado
boca (en *desbocar*): atributo del ser animado
rastro (en *arrastrar*): atributo del elemento
peñas (en *despeñar*): ser inanimado
monte: ser inanimado
bruto: ser animado
cabeza: atributo del ser animado
marañas (en *enmarañar*): ser inanimado
ceño: atributo del ser animado
frente: atributo del ser animado
sangre: atributo del ser animado
arenas: ser inanimado

Son trece signos terrestres contra, o por dos, del fuego. O bien, si queremos limitarnos sólo a la presencia del sustantivo (y así lo haremos como norma salvo casos específicos), nueve contra, o por, dos; se diría casi que los signos terrestres se reúnen en torno a dos núcleos ígneos: «Faetonte» y «Sol», dotados de una mayor valencia. Evidentemente, es demasiado pronto para decir si la relación tierra-fuego, en ésta o en otras dosis, quiere decir algo. En los sucesivos análisis que haremos, advertiremos solamente que la constancia de esta combinación, no se debe en absoluto, como se podría sospechar, a un criterio de comodidad. Clarín dice:

> [...]
> *Mas ¿qué haremos, señora,*
> *a pie, solos, perdidos y a esta hora*
> en un desierto *monte,*
> *cuando se parte el* SOL *a otro* horizonte?
>
> I, 45-48, p. 501, c. 2.

A «sol» corresponden tres signos *t*: «pie», «monte», «horizonte». A continuación, dice Rosaura:

> [...]
> *a la medrosa* LUZ *que tiene el día*
> *me parece que veo*
> *un* edificio.
>
> I, 52-55, p. 501, c. 2.

63

Pero los signos se enmarañan: hemos llegado a la torre donde está encerrado Segismundo. Nótese la flexibilidad del lenguaje de Rosaura, gracias a la cual pasa a otro sistema de signos cuando se trata de Segismundo.

> *Rústico nace entre desnudas* peñas
> *un* palacio *tan breve,*
> *que al* SOL *apenas a mirar se atreve;*
> *con tan rudo artificio*
> *la* arquitectura *está de su* edificio,
> *que parece, a las* plantas
> *de tantas* rocas *y de* peñas *tantas*
> *que al* SOL *tocan la* LUMBRE,
> peñasco *que ha rodado de la* cumbre.
>
> I, 56-64, p. 501, c. 2.

Resistimos a la tentación de subrayar en cursiva un adjetivo como «rústico», por su raíz latina bien puesta en evidencia por su posición prioritaria. Así pues, tenemos nueve signos *t* contra tres signos *f*, dispuestos éstos en dos núcleos: «sol» y «sol-lumbre», en torno a los cuales se polarizan los signos terrestres. Aquí podríamos salir del campo puramente cuantitativo y numérico y hacer una irrupción en el campo semántico, tratando de imaginarnos un gráfico de fuerzas que tienden hacia abajo; un gráfico de oscilaciones cardíacas, constantes pero desiguales, entre las esferas más opuestas, frustraciones, conatos, sueño de la altura y de su luz en el tema opaco y obsesivo de la piedra. Una realidad empobrecida, degradada («peñasco que ha rodado de la cumbre») avergonzada y turbada por las alturas («que al sol apenas a mirar se atreve»), pero que, sin embargo, tiene conciencia de su propia caída.

A continuación vienen otros signos terrestres:

> *La* puerta
> —*mejor diré funesta* boca— *abierta*
> *está* [...]
>
> I, 69-71, p. 502, v. 1.

Un ruido de cadenas atemoriza a Rosaura que, por un instante presa del sobresalto, olvidará la combinación de signos y superpondrá al sistema tierra-fuego su propio lenguaje caótico:

CLARÍN *¡Qué es lo que escucho, cielo!* [27]
ROSAURA *Inmóvil* bulto *soy de* FUEGO, *y hielo.*

donde

cielo (exclamativo) elemento (aire)
bulto atributo de ser animado (tierra)
fuego elemento (fuego)
hielo atributo de elemento (agua)

son ejemplos de la indiferencia entre plano propio o metafórico, lexicalizado o no, con respecto al cuadro de los 4 elementos.

La aparición de Segismundo está precedida por la de una vela o bujía, cuyo temblequeo hace aún más pavoroso el interior. Calderón compara aquella luz oscilante a una «exhalación» (fuego fatuo, rayo o estrella fugaz) que Wilson enumera entre los objetos inanimados del aire, mientras, por el contrario, debemos considerarlo como correspondiente al fuego.[28]

> ROSAURA *¿No es breve* LUZ *aquella*
> *caduca* «EXHALACIÓN, *pálida* ESTRELLA,
> *que en trémulos desmayos,*
> *pulsando* ARDORES *y latiendo* RAYOS,
> *hace más tenebrosa*
> *la oscura* habitación *con* LUZ *dudosa?*
> *Sí, pues a sus* REFLEJOS
> *puedo determinar, aunque de lejos,*
> *una* prisión *oscura,*
> *que es de un vivo* cadáver sepultura;
> *y porque más me asombre,*
> *en el* traje *de fiera yace un* hombre
> *de* prisiones *cargado*
> *y solo de la* LUZ *acompañado.*
>
> I, 85-98, p. 502, c. 1.

Una bandada de signos ígneos y terrestres (15 en 14 versos; siete de la primera especie, ocho de la segunda) rodea

---

27. Aquí, «cielo», en oposición a «fuego», pertenece al aire.
28. Mientras «exhalación» en el ejemplo precedente de la p. 45 (texto traducido) pertenece al aire.

y acompaña la aparición del personaje que nos había sido anunciado por el pétreo laberinto del paisaje. Tal cantidad de signos nos dice claramente que nos encontramos efectivamente en el epicentro de los fenómenos lingüísticos y metafóricos observados. Circunstancia singular es que en lugar de los núcleos mixtos de signos *t* y de signos *f*, aquí tenemos un despliegue casi contrapuesto de los dos tipos de signos. Efectivamente, los signos *f* se encuentran casi todos en los primeros versos y los signos *t* se reagrupan más adelante, y, en algunos casos, se agolpan en un verso, como en el verso 96 donde encontramos hasta tres de ellos:

> en el traje de fiera yace un hombre

Tenemos aquí otra prueba del irrealismo de Calderón, en el mismo inerte y tópico equívoco y ambigüedad entre «torre» y «caverna» (cfr. Semíramis en la *Hija* y Heraclio en *En esta vida*). En efecto, no habría ninguna razón, según las normas de lo verosímil, para que Segismundo tuviese que vestir con pieles, ya que no era ni un eremita ni un salvaje, sino un príncipe prisionero en una torre donde un noble ayo está encargado de su educación y donde hay una guarnición militar para custodiarlo. Pero, desafiando a la lógica, Calderón nos muestra en un sintético e inolvidable lenguaje iconográfico la condición feroz del ánimo de Segismundo o bien el signo, el sello con el que ha sido marcado y que él ha aceptado polémicamente. Por otra parte, su «traje de fiera», aunque en él se transforma en un acto interior, no cancela su esencia ni, a mayor razón, su papel de hombre. Así pues, tenemos una «fiera racional», síntesis terrestre y casi no metáfora, sino metonimia, dada la contigüidad y el contagio de conceptos como hombre-fiera que atribuye al sistema de las estructuras elementales el mundo de los sentimientos de Segismundo, con sus oscilaciones metonímicas, entre fiera y hombre; combinación que interesa no sólo a la *Vida* sino también a otros dramas. Recuérdese en *Los amantes* al eremita Carpóforo:

> *en los ásperos desiertos*
> *habita (racional fiera)*[29]
>
> p. 1073, c. 1.

---

29. Cfr. también: [...] absortos a la extrañeza / de ver racional lo bruto [...], *En esta vida*, p. 1110, c. 2.

Las pieles de Segismundo, signo típico de su naturaliza-
ción y de su estilización simbólica son, pues, la mitología de
este personaje, así como el caos es la mitología de Rosaura.
Pero, mientras el caos de Rosaura es rígidamente apriorístico, las pieles segismundianas, como veremos, son el signo de
un mito en movimiento. Encontramos otra estilización simbólica, esta vez de naturaleza cuantitativa, en el contraste
entre «prisiones» (tierra) y «luz» (fuego); cargado de cadenas, pero provisto, mejor dicho, en compañía de una sola
luz. Esta diversa relación cuantitativa («de prisiones carga-
do/y solo de la luz acompañado [...]») nos recuerda los de-
liciosos ejemplos de *quanta* poéticos gongorinos: [30]

> [...]
> *muchos siglos de hermosura*
> *en pocos años de edad*
> [...]

rom. 62-1610

> *Las venas con poca sangre,*
> *los ojos con mucha noche*
> [...]

rom. 48-1602

Si tal es la fuente técnica de la relación, aquí, ciertamente,
hay que atribuir esa relación a aquella serie de combinaciones de signos *f* con signos *t* en mayor número, en cuya insistencia parece que habría que sospechar un significado recón-
dito pero que se insinúa tortuosamente por doquier, que intenta hacerse pasar por un cálculo matemático de probabi-
lidades de la salvación (o de la gracia).

30. V. Bodini, *op. cit.* pp. 97-105.

3
Soledad de los protagonistas

En los primeros pasos, o al comienzo de un grupo de dramas, Calderón denuncia y representa la soledad del personaje central, que es casi siempre, la soledad del intelectual, la soledad de un hombre que ha sido besado por el ala de lo absoluto. Expresa esta condición en escenas a las que corresponden importantes monólogos de gran altura lírica, por medio de los cuales obliga a su público a asomarse al alma de su héroe como se asomaría a mirar desde lo alto de un monte un vacío horroroso, fascinador y pavoroso. La soledad, gracias a la colaboración de adecuados escenarios, se convierte en un espectáculo del que hay que gozar a escondidas, espiando.

El carácter furtivo del goce se acentúa especialmente en la *Vida*, donde Rosaura y Clarín, escondidos, ven a Segismundo y escuchan su soliloquio. La insistencia de Calderón por este tipo de protagonistas nos revela claramente el secreto autobiográfico de esa preferencia. Ningún personaje de Lope sabe estar solo. El pedestal que eleva a estos personajes a los ojos del espectador, la distancia, el abismo que los separa provoca en este último admiración, estupefacción y turbación por aquella altura pero, al mismo tiempo, suscita también la satisfacción, la atenaceante voluptuosidad de arrebatar el secreto del héroe y, al mismo tiempo, de ver los toros desde la barrera. El espectador integrado descubre en el escenario al héroe no integrado, por vocación o por la fuerza de los acontecimientos, y todavía en lucha por y con el absoluto. Los furores de un alma que camina a tientas en medio de la noche más oscura al margen del cálido refugio de toda solidaridad social, son una hipótesis de vida que relampaguea de improviso ante sus ojos con una pavorosa, pero, al mismo tiempo, alentadora belleza.

El tema de la soledad puede dar lugar a diversos paradigmas que enriquecen nuestro estudio a través de un claroscuro de analogías y de contrastes. Ante todo, la soledad se puede deber a varias causas: es castigo por culpas reales o imaginarias que se refieren a los antecedentes del drama (*Vida, Hija*) u origen de los contrastes que darán lugar al drama (*Mágico, Los dos amantes*). Mientras la protesta contra el propio hado vibra en Segismundo y en Semíramis con la misma violencia, si bien con distinto alcance vemos a Cipriano en el *Mágico* desembarazarse de los siervos Moscón y Clarín (otra coincidencia: el *gracioso* del *Mágico* y el de la *Vida* son homónimos) para quedarse solo en el bosque pensando y reflexionando. Y el placer de la saboreada soledad aumenta al pensar en el alboroto y en el insoportable clamor de Antioquía en fiestas, de donde ha huido:

> *Ya estoy solo, ya podré,*
> *si tanto mi ingenio alcanza,*
> *estudiar esta cuestión*
> *que me trae suspensa el alma,*
> [...]
>
> *Mágico, p. 609, c. 2.*

Menos afortunado, o menos independiente, Crisanto en *Los dos amantes* no podrá evitar los reproches de sus amigos y de su padre, que desaprueban su necesidad de aislamiento y su indiferencia ofensiva por los bienes del mundo:

> *Un joven a quien dotó*
> *de tantas partes el cielo,*
> *como con su noble gala,*
> *hacienda, valor e ingenio,*
> *¿se ha de dar tanto a una pena*
> *que encerrado en su aposento,*
> *la edad mejor de su vida*
> *solo ha de gastar leyendo?*
>
> *Dos amantes, pp. 1073-1074*

Pero más que por estos corteses reproches de Claudio, Crisanto se dolerá de las quejas de su padre Polemio, que lo acusa de ingratitud. En las palabras con que le responde vemos claramente su naturaleza retraída e introvertida:

> *Señor, aqueste retiro*
> *en que me ves, no es efecto*
> *de ingratitud, a esas dichas*
> *negando el conocimiento;*
> *es natural condición*
> *mía, que gusto no tengo*
> *en la común vanidad*
> *de los públicos cortejos.*
> *Y si viviendo conmigo*
> *no más, vivo más contento,*
> *¿para qué quieres que busque*
> *lo que me ha de agradar menos?*
> *Deja que pase, señor,*
> *de estas tristezas el tiempo;*
> *que después lograré aplausos,*
> *que yo por mí no merezco*
> *sino por ser hijo tuyo.*
>
> *Dos amantes*, p. 1074, c. 1.

El mismo agrupamiento —*Mágico* y *Dos amantes* por una parte, *Vida* e *Hija*, por otra— se verifica si prestamos atención a los tiempos y a los lugares en que los protagonistas, y su soledad, hacen su aparición en el drama. En los dos primeros, apenas se alza el telón vemos respectivamente a Cipriano y a Claudio que buscan la soledad; el uno, en un bosque cercano a Antioquía; el otro, encerrado en un cuarto en casa de Polemio en Roma. En cambio, la entrada en escena y los monólogos de Segismundo y Rosaura se demoran, y esta bien calculada dilación sirve para agigantar los efectos de la sorpresa provocados por la fantástica aparición de los dos prisioneros, aparición diversamente calculada, ya que, mientras la aparición de Semíramis está sabiamente anunciada por los golpes que ella da en la puerta de su gruta, la de Segismundo es un auténtico golpe de escena, que demuestra cuánto tiempo estuvo este héroe y benjamín de Calderón retenido en su fantasía antes de entregarlo a la acción del drama, haciendo que se le encontrase sólo en medio de rocas, precipicios y laberintos, y, finalmente, encerrado en una prisión, donde ni Rosaura ni Clarín —y con ellos el público— se imaginaban que lo encontrarían.

Podría parecer que no es posible una comparación entre dos personajes, como Cipriano y Crisanto inclinados a la vida anacoreta, y otros dos personajes, como Segismundo y Semíramis, que se ven obligados a vivir en cautividad por la fuerza, pero que anhelan furiosamente la libertad. Pero la soledad está ya tan radicalmente asentada en sus almas que todos sus pensamientos nacen de esta matriz. Segismundo es un solitario, no porque esté encerrado a la fuerza en la torre, sino por la fuerza del destino, y hablará como solitario, como ausente, incluso después, cuando se reincorpore al seno de la sociedad. En cuanto a Semíramis, todos sus razonamientos descubren en ella una profesional de la soledad. Contra todas las apariencias, su psicología ha sido todavía más profundamente trabajada y cualificada por el estado de reclusión y por las interminables horas a disposición de una arrogante imaginación con la cual, a falta de cualquier dato de la realidad, se ha visto obligada a crearse por sí misma un mundo ficticio, pero suyo, al que seguirá tan apegada que todo lo real será sometido continuamente a una desfavorable comparación con aquellas soñadas riquezas, y empalidecerá cuando se lo compare con ellas:

> [...]
> *objeto es más anchuroso*
> *el de la imaginación*
> *que el objeto de los ojos.*
> *Imaginaba yo que eran*
> *los muros más suntuosos,*
> *los edificios más grandes,*
> *los palacios más heroicos,*
> *los templos más eminentes*
> *y todo, al fin, más famoso.*
> *Hija*, p. 739, c. 2.

Monólogo de Segismundo

En un famoso romance del *Cancionero de Amberes*, el *Romance del prisionero*, un recluso en el fondo de una lóbrega celda no tiene más que el canto —y sólo el canto— de un pajarillo que le dice si afuera es de día o de noche:

Que por mayo era, por mayo
cuando los grandes calores,
cuando los enamorados
van a servir sus amores,
sino yo triste, mezquino,
que yago en estas prisiones,
que ni sé cuándo es de día
ni menos cuándo es de noche,
sino por una avecilla
que me cantaba al albor;
matómela un ballestero:
¡Dele Dios mal galardón! [1]

En términos calderonianos o wilsonianos tendríamos una prisión *t*, y un signo celeste, el pajarillo, *ai*, en un fragilísimo equilibrio roto bruscamente por el ballestero, otro signo *t*, que hace estallar la maldición en el corazón del prisionero, privado ahora de aquel último mensajero de la luz y del cielo. Menos paciente, más colérico que aquel prisionero, Segismundo no necesita de la última ofensa del tiro de ballesta para negar a los cielos el derecho de castigar en él una culpa desconocida, añadida como un agravio a la culpa común a todos los hombres de haber nacido. Estamos en los límites entre vida y sueño, entre libertad y cadenas, entre humanidad y violencia. El prisionero sigue siendo un desconocido para nosotros, pero no lo son sus palabras con las que plantea antiguas preguntas sin respuesta:

¡Ay mísero de mí, y ay infelice!
Apurar, CIELOS, pretendo,
ya que me tratáis así,
qué delito cometí
contra vosotros naciendo;
[...]

I, 102-106, p. 502, c. 1.

Obsérvese el sentido fuertemente inquisitivo de verbos como «apurar» y «pretender». En cualquier caso, lo que nos importa no es la substancia de la rebelión de Segismundo, sino el modo en que ésta se estructura en grandes ejem-

---

1. J. M. Blecua, *Floresta de lírica española*, Madrid, 1963 (tomada del *Cancionero general*, n. 461, p. 550).

plos naturales, que aunque partan de la habitual comparación de la lírica —primero renacentista y luego manierista y barroca— entre sujeto y naturaleza, o cualquier aspecto de ésta, no se detiene en absoluto en comparaciones específicas, sino que busca analogías centrales y de fondo sobre las que articula sus propias argumentaciones en grandes esquemas ordenados que tienen una intención objetiva entre científica y de materia vista para sentencia. Lo que Segismundo nos presenta es un gran balance de su existencia planteado según algunas voces indicativas del cosmos. Las voces en que se articula su cálculo son cuatro. Veremos si se corresponden o no con el paradigma de Rosaura.

La forma métrica utilizada aquí por Calderón es la décima (abba-accddc) según las prescripciones de Lope en el *Arte nuevo* («las décimas son buenas para quejas»).

La primera décima se ocupa del aire:

> *Nace el ave, y con las galas*
> *que le dan belleza suma,*
> *apenas es flor de pluma*
> *o ramillete con alas,*
> *cuando las* ETÉREAS SALAS
> *corta con velocidad,*
> *negándose a la piedad*
> *del nido que deja en calma;*
> *¿y teniendo yo más alma*
> *tengo menos libertad?*
>
> I, 123-132, p. 502, c. 2.

El intercambio visivo tierra-aire («flor de pluma o ramillete con alas») nos da el sentido de la cromática fragilidad del alado, mientras aquellas «etéreas salas» trasladan al cielo ambientes y espacios cortesanos. Los signos elementales se reparten en dos esferas: aire (*ave, pluma, alas, nido*) y tierra, en menor número (*flor, ramillete*).

El segundo ejemplo nos viene de la tierra:

> *Nace el bruto, y con la piel*
> *que dibujan manchas bellas,*
> *apenas signo es de* ESTRELLAS
> *—gracias al docto pincel—*
> *cuando atrevido y cruel,*
> *la humana necesidad*

le enseña a tener crueldad,
monstruo *de su* laberinto;
¿Y yo con mejor instinto
tengo menos libertad? [2]

I, 133-142, p. 502, c. 2.

Aunque sea demasiado pronto para sacar alguna conclusión de esta indicación, no podemos dejar de advertir por ahora la presencia de seis signos *t* (*bruto, piel, manchas, pincel, monstruo, laberinto*) dispuestos en torno a un solo signo extraño, un signo *f* del fuego (estrellas).

El tercer ejemplo nos lo da el agua:

Nace el pez, que no respira,
aborto [3] *de ovas y lamas,*
y apenas bajel de escamas
sobre las ondas se mira,
cuando a todas partes gira,
midiendo la inmensidad
de tanta capacidad
como le da el centro frío;
¿y yo con más albedrío,
tengo menos libertad?

I, 143-152, p. 502, c. 2.

A diferencia de los ejemplos anteriores donde se infiltra algún signo heterogéneo entre los signos del elemento al que está dedicada la décima, aquí no encontramos más que signos acuáticos: *pez, ovas, lamas, bajel, escamas, centro frío*. La misma metáfora «bajel de escamas» se obtiene con elementos homogéneos, al contrario que algunos ejemplos de intercambio como «flor de pluma».

Obsérvese que en los tres ejemplos citados el espíritu matemático calderoniano no se limita a una simetría estrófica, sino que también hay una curiosa simetría gramatical-sintáctica, ya que el parlamento se presenta en esquemas y lu-

---

2. Muchos comentaristas han explicado «humana» por «natural». Una reciente interpretación que nos parece bastante acertada es la de L. Orioli, *La vita è sogno*, Adelphi, Milano, 1967, que sostiene que la «humana necesidad» es la de los hombres de deber cazar las bestias, provocando en tal modo su ferocidad.

3. «Aborto» es igual a «monstruo» de la décima precedente.

gares fijos o con levísimas variaciones. Mismo comienzo, mismo verbo y mismo artículo en los primeros versos:

Nace el

sigue un substantivo masculino:

pez, bruto, ave

Los dos primeros llevan además la misma conjunción *y,* la preposición *con* y un artículo femenino (aunque de número distinto):

> a) y con las (galas)
> b) y con la (piel)

Pero luego presentan los mismos elementos gramatical-sintácticos en el tercer verso, que tiene idéntico esquema, salvo el leve desplazamiento o la supresión de la cópula:

> a) apenas es flor
> b) apenas signo es
> c) ...apenas bajel

El quinto verso comienza en los tres ejemplos con la misma conjunción temporal:

cuando

Los ocho primeros versos establecen la comparación entre el hombre y los símbolos de tres elementos. En los dos últimos versos parece como si se sacasen las conclusiones de la comparación, en términos cuantitativos y cualitativos:

> a) y teniendo yo más alma
> b) y yo con mejor instinto
> c) y yo con más albedrío

Terminando con la misma interrogación:

tengo menos libertad?

repetida en una eficaz progresión creciente retórica.

Después de una tan rigurosa simetría y tan perfecta secuencia de comparaciones entre Segismundo y los seres animados de los tres distintos elementos —por orden: aire (*ave*), tierra (*bruto*) y agua (*pez*)— habría que esperar que le llegase la vez al elemento restante, el fuego, en su objetividad ambiental y sus moradores más o menos fabulosos; en cambio, respecto a las expectativas del espectador, se salva el formalismo del número cuatro de los elementos,[4] ya que el puesto del cuarto es ocupado por un *arroyo*, que, desde el punto de vista de la representatividad de los elementos, es un duplicado acuático del «pez», del cual se diferencia en la relación entre tipo de ambiente y tipo de morador. Por tanto, el arroyo está allí señalando el puesto vacío del elemento provisionalmente tácito. Nótese que en esta décima también se respetan las formas de anáfora observadas en las anteriores:

> *Nace el arroyo, culebra*
> *que entre flores se desata,*
> *y apenas sierpe de plata*
> *entre las flores se quiebra,*
> *cuando músico celebra*
> *de las flores la piedad*
> *que le dan la majestad*
> *del campo abierto a su huida;*
> *¿Y teniendo yo más vida*
> *tengo menos libertad?*
>
> I, 153-162, p. 502, c. 2.

En lugar del ser animado, como en los ejemplos precedentes, tenemos un elemento; en lugar del fuego, el agua. El «arroyo», en fin, está completamente a la merced de signos terrestres: *culebra, flores, sierpe, plata, flores, campo abierto.*

Y he aquí que después de esta híbrida sustitución, el elemento que nuestros cálculos habían previsto se presenta con un ligerísimo retraso, por lo cual, en compensación, se nos ofrece un acrecentamiento hiperbólico:

---

4. Tal formalismo numérico está expresado explícitamente en el *Mágico*, p. 629, c. 1., en la evocación del universo por parte del Demonio: «...monstruo de elementos cuatro...».

> *En llegando a esta pasión*
> *un* VOLCAN, *un* ETNA *hecho,*
> *quisiera sacar del pecho*
> *pedazos del corazón.*
>
> I, 163-166, pp. 502-503.

Ahora bien, la aparente imperfección del esquema aristotélico y ovidiano de los cuatro elementos es subsanada con el tránsito de la objetividad descriptiva de los tres primeros elementos a la subjetividad dramática del cuarto elemento del fuego, disponible gracias al mismo Segismundo que lo identifica consigo mismo («un volcán, un Etna hecho»).

Sin embargo, no hay que creer que la sucesión de los cuatro elementos (aunque con este desfase de tiempo por lo que respecta al elemento *f*) se deba comparar a una situación regresiva de tipo caótico como la que hemos visto en Rosaura. Aunque el monólogo de Segismundo trae a colación signos de cuatro elementos, sin embargo, la finalidad a que los dos personajes los destinan es opuesta: mientras en Rosaura se mezclan y confunden [5] (de modo que en el aspecto del caos nos da, quizás el retrato de sus mismos desordenados sentimientos o, quizá solamente, un signo de reconocimiento, una particular connotación poética para reforzar la escasa consistencia de su persona teatral), en Segismundo, al contrario, se convierten en instrumentos clarificadores, o que, por lo menos, tienden a la clarificación. Educado por su propia soledad, o por su propio destino, a agredir frontalmente los problemas esenciales de la vida y del cosmos, Segismundo se eleva por encima de su propia vivencia para compararse libremente con el universo en una serie de ordenados y lúcidos parangones con cada una de sus partes, bien distintas a las que contrapone, de vez en vez, su propia superioridad de hombre y su propia inferioridad de recluso, contradicción de la que nace inmediatamente después la pregunta:

> *¿Qué ley, justicia o razón*
> *negar a los hombres sabe*
> *privilegio tan süave,*

---

5. Recuérdense las series diversas en que están alineados los cuatro elementos.

> *excepción tan principal,*
> *que Dios le ha dado a un cristal,*
> *a un pez, a un bruto, a un ave?*
>
> 1, 167-172, p. 503, c. 2.

Donde en los dos últimos versos encontramos reunidos en una correlación los cuatro miembros anteriores, en orden inverso: *cristal (arroyo), pez, bruto, ave,* en vez de *ave, bruto, pez, arroyo.*

Observando este pequeño modelo estructural se nos ocurre otra justificación de la tardía aparición del fuego y su sustitución, en el último momento, con el suplente «arroyo»; es decir, que, habiendo Calderón comparado a Segismundo con creaturas del aire, de la tierra y del agua respectivamente, encontraba no pocas dificultades para hallar otros seres animados del fuego que no fuesen fabulosos, como el fénix o la salamandra, o mitológicos, como Apolo o Faetón, o bien metonímicos, como la «mariposa» y el «comunero».

Todos los signos sucesivos son signos del sufrimiento terrestre de Segismundo, sea que figuren en el parlamento de Rosaura:

> [...]
> *que en estas* bóvedas *frías*
> [...]
>
> I, 178, p. 503, c. 1.

sea que, más concentrados y espesos, figuren en el de Segismundo:

> *¿Quién eres? que aunque yo aquí*
> *tan poco del* mundo *sé,*
> *que* cuna *y sepulcro fue*
> *esta* torre *para mí;*
> [...] *solo advierto*
> *este* rústico *desierto*
> *donde miserable vivo*
> *siendo un* esqueleto *vivo,*
> *siendo un* animado *muerto;*
> [...]
>
> I, 193-203, p. 503, c. 1.

El mismo simbolismo que ve en Rosaura el símbolo de

la vida, identifica en la torre segismundiana el de la muerte; para nosotros tal identificación mutilaría la imagen de la torre con dos grandes alas, dos ramificaciones, como ella, terrestres, cuna y sepulcro, que son además los dos signos del paréntesis dentro del que se desarrolla la no-vida de Segismundo, la cual sin embargo, tiene también un término *a quo* y uno *ad quem* que la muerte no tiene.

Pero he aquí que entre los signos terrestres siempre numéricamente preponderantes, se van abriendo paso otros signos; signos de la esfera del fuego, que, aunque en número menor, se motivan y articulan como si tuviesen una más rica valencia química, dando lugar a aquel proceso secreto de polarización y de variaciones que nuestro estudio se propone desenmascarar:

> *y aunque nunca vi ni hablé*
> *sino a un* hombre *solamente,*
> [...]
> *por quien las noticias sé*
> *de* CIELO [6] *y tierra; y aunque*
> *aquí, por más que te asombres*
> *y* monstruo humano *me nombres,*
> [...]
> *soy un* hombre *de las* fieras
> *y una* fiera *de los* hombres;
> [...]
> *la política he estudiado*
> *de los* brutos *enseñado,*
> *advertido de las* aves,
> *y de los* ASTROS *süaves*
> *los círculos he medido,*
> [...]
>
> I, 203-218, p. 503, c. 1.

El prisionero del romance viejo se limitaba a pedir al canto de un pájaro noticias del cielo, del día y de la noche; el intelectual Segismundo estudia como un gran libro el cielo y los adiestramientos de los pájaros para arrancarles el secreto de la naturaleza y del corazón humano. Estudia, además, la lección en las fieras y calcula las circunferencias de los

---

6. En el ámbito de Segismundo «cielo» tiene siempre valor de signo ígneo.

astros. Si observamos la sucesión en que se presentan estos tres seres o atributos de elementos:

> de los brutos *enseñado,*
> *advertido de las aves,*
> *y de los* ASTROS *süaves*

vemos que se presentan en orden de abajo arriba: «brutos» (tierra), «aves» (aire), «astros» (fuego). El elemento que falta es el agua, probablemente por razones empíricas, ya que en el árido paisaje en el que Segismundo se encuentra encerrado desde su nacimiento ¿cómo podría haber tomado lecciones de los peces o de otros seres acuáticos? Este tema de la lección impartida al hombre por otra criatura animada se remonta a Quevedo, que en el soneto *Músico llanto, en lágrimas sonoro* finge que toma lecciones (de dolor) de un pájaro solitario:

> *Estudia en tu lamento y tu semblante*
> *gemidos este monte y esta fuente*
> *y tienes mi dolor por estudiante.*[7]

El titanismo

Llegados a este punto, en la habitación donde se encuentra Segismundo entran Clotaldo y unos soldados, todos con el antifaz en la cara como Rosaura, por un puro gesto de alteración, de metamorfosis, de ocultación de personalidad, del mismo modo que las metáforas permiten que un dato se desdoble en dos, *a* y *b,* o viceversa, que *a* y *b* se unan hasta no ser más que una cosa sola. Pero si el enmascararse no es más que una manera fácil de complicar las cosas del mundo, aquí al menos, estos enmascaramientos, tal vez innecesarios, se adaptan perfectamente a un contexto escénico confuso y laberíntico.

Probablemente, Clotaldo no tiene un propio sistema de signos; tal vez refleje de vez en vez el de su hija Rosaura o el de su príncipe y prisionero. En sus palabras:

---

7. Ed. Aguilar, Madrid, 1952, p. 53.

> *Guardas de esta* torre,
> *que dormidas o cobardes,*
> *disteis paso a dos* personas
> *que han quebrantado la* cárcel...
> [...]
>
> I, 277-280, p. 504, c. 1.

hay estilemas que, más que portadores de signos pueden parecer términos impuestos por las circunstancias; en general, en los casos dudosos se ha preferido no tenerlos en cuenta. Pero no parece que haya dudas en las frases con que continúa su parlamento:

> [...]*no ose nadie*
> *examinar el prodigio*
> *que entre estos* peñascos *yace!*
> *Rendid las* armas *y las vidas,*
> *o aquesta* pistola, áspid
> *de* metal, *escupirá*
> *el* veneno *penetrante*
> *de dos* balas, *cuyo* fuego
> *será escándalo del aire.*
>
> I, 300-308, p. 504, c. 1.

Nueve signos elementales en sólo siete versos, la mayor parte de ellos terrestres: *peñascos, armas, pistola, áspid, metal, veneno, balas;* uno del fuego (*fuego*) y uno del aire (*aire*) siguiendo los pasos de otro precedente gongorino: «El girifalte, escándalo bizarro/del aire [...].»[8]

En tan poco espacio, en los primeros 310 versos ya hemos encontrado diversas ternas de signos terrestres, concentrados, comprendidos en una misma expresión:

> *a las* plantas
> *de tantas* rocas *y de* peñas *tantas*
>
> . . . .
>
> *en el* traje *de* fiera *yace un* hombre
>
> . . . .
>
> *Nace el* bruto, *y con la* piel
> *que dibujan* manchas *bellas*
>
> . . . .

---

8. *Soledad Segunda,* 419-1614 (1613), vv. 753-754.

> *y apenas,* sierpe *de* plata,
> *entre las* flores *se quiebra*
> . . . .
> *que* cuna *y* sepulcro *fue*
> *esta* torre *para mí*
> . . . .
> *o aquesta* pistola, áspid
> *de* metal . . . .

Si algunos de los ejemplos citados anteriormente podrían
encajar en el ámbito de una decorativa imaginería, como las
manchas bellas de la piel de la fiera, la sierpe de plata entre las flores o la pistola áspid de metal, otras de estas trian-
gulaciones elementales: traje-fiera-hombre o cuna-sepulcro-
torre insisten en proponernos expresiones de un álgebra secreta. Se tiene la impresión de que la *Vida,* mejor dicho, la
vivencia de Segismundo sea un drama recitado contemporáneamente entre los bastidores de un «palacio» o de un «co-
rral» barroco y en los inmensos escenarios de la tierra y del
universo. Y que sólo a esta copresencia en dos frentes —pre-
meditada y valorada por el autor— se debe el secreto de la
extraordinaria resonancia de algunos de estos pases clave,
que aluden a un sistema hasta aquí no puesto de relieve. Así
pues, por cuanto nuestra investigación quisiera detenerse
en los umbrales de la interpretación o de las interpretaciones clásicas calderonianas para seguir sólo el hilo que nos
propone la acción elemental de la *Vida,* no podemos dejar
de destacar que hay puntos en los que la coincidencia entre
las dos esferas —el teatro visible y el teatro invisible— multiplica y dilata enormemente el sentido y el valor de las palabras, dejando ver, donde es más perfecta, la liberación de
un mensaje esotérico que, aun cuando no se capte, deja siempre una huella de grandeza y de misterio en el que escucha
o lee.

Cuando Clotaldo toma nuevamente la palabra vemos ya,
rigurosa y estrechamente conjugados, elementos opuestos:
cielo y tierra, etéreo o concreto, irreal y real:

> *Si sabes que tus desdichas,*
> *Segismundo, son tan grandes,*
> *que antes de nacer moriste*
> *por ley del* CIELO; *si sabes*
> *que aquestas* prisiones *son*

de tus furias arrogantes
un freno *que las detenga*
y una rienda *que las pare,*
¿por qué blasonas? La puerta
cerrad de esta estrecha cárcel;
escondedle en ella.

I, 319-329, p. 504, c. 2.

Por un solo signo del cielo tenemos cinco terrestres, el último de los cuales, *cárcel,* está reforzado por un adjetivo como *estrecha,* que no cumple otra función que la de acentuar la angustia de la prisión y la opresión de sus muros.

La provocación de Clotaldo tiene el poder de poner de relieve con un perfecto sincronismo la doble naturaleza conjuntamente humana, mejor dicho sobrehumana, y elemental de Segismundo. La violencia de su ánimo, alejado de la sumisa condición del prisionero del romance, lanza un desafío a los cielos en términos en los que no tardamos en reconocer en él aquella naturaleza titánica que todo, las montañas y la expectativa, nos habían anunciado y prefigurado:

¡Ah, CIELOS,
qué bien hacéis en quitarme
la libertad; porque fuera
contra vosotros gigante,
que para quebrar al SOL
esos vidrios *y* cristales,
sobre cimientos *de* piedras
pusiera montes *de* jaspe!

I, 329-336, p. 504, c. 2.

Mientras la amenaza terrestre de Clotaldo se basa en simples datos reales, unidos por una relación obvia a la realidad de la situación: cadenas, freno, rienda, puerta, cárcel, en la respuesta de Segismundo, los elementos del mismo signo son remotos y fantásticos: cimientos, piedras, montañas, jaspe. Habiéndosele echado en cara su condena a una estrecha cárcel terrestre, quiere quebrar los cielos, y nada nos da mejor su desmesura psicológica y moral —tan de acuerdo con el gigantismo de su siglo que, tal vez, se le podría considerar, si lo comparamos a los numerosísimos gigantes que nos ofrecen las artes plásticas barrocas, como el único y auténtico ejemplar literario paralelo a ellas— y su estatura, que la relación elemental entre el cielo y el sol que él quiere quebrar, comparados a la fragilidad de vidrios y cristales, y la dura potencia de la tierra, representada por cimientos, piedras, montañas y jaspe. El choque piedra-cielo alcanza aquí la violencia de una explosión; el contraste es tan fuerte, que casi oímos el fragor de los cielos quebrados en mil fragmentos y esquirlas. La fuerza de estas imágenes cósmicas aparta nuestra atención de un antecedente mitológico, que aquí está completamente reabsorbido en la vivencia de Segismundo y en su bifurcación de signos: el de los Gigantes y de los Titanes. Segismundo, al proclamarse expresamente un gigante, provoca en nosotros un nuevo motivo de solidaridad con su rebelión. Recuérdese que los Gigantes eran mortales pero feroces e indomables e hijos de la Tierra, que los había creado para vengarse del exterminio de los Titanes, llevado a cabo por el Cielo. (Como en el caso de Faetón más adelante, véanse aquí y a continuación algunos casos de utilización y revalorización de figuras mitológicas en el ámbito del sistema calderoniano.)[9] Hemos visto que en el cuerpo de la *Vida* es posible separar dos tramas ciertamente heterogéneas en cuanto a los niveles de mensaje de que son portadoras, aunque en varios puntos sean físicamente comunicantes. Y hemos visto que tal duplicidad no se puede explicar fuera del contexto cultural en que la obra fue concebida; la trama B, con sus pseudoproblemas de la galantería y del honor, no se podría concebir sin una precisa localización histórica y sociológica. Para apreciar tal juego de asociaciones y tangencias, no basta con tener presente el espíritu de un escritor como Calderón; es necesario reconocer y sobreentender elementos que pertenecen a las corrientes características de la época. Por aquí podría pasar también una línea divisoria que nos ayudaría a separar la creación absoluta del autor y la parte que debe, o creyó que debía al consumidor

9. Pierre Paris, *La mythologie de Calderón (Apolo et Climene-El hijo del Sol, Faetón)* «Homenaje a Menéndez Pidal», Madrid, 1925, I, 557-570, no se ocupa de este aspecto de la utilización mitológica por parte de Calderón, sino sólo de las *pièces* mitológicas, que Calderón llamaba *fiestas* y que con gran aparato escenográfico se representaban en el Palacio Real o en el Retiro: «Toute la fantaisie de machination, de changements à vue, de transformations devaient être plus facilment acceptées, même d'un public qui n'avait pas le moindre souci de la verité et de la couleur locale, si on le transportait aux temps de la Fable, si les héros d'intrigues et d'aventures prodigieuses étaient ces dieux et ces demi-dieux qui se mêlaient familièrement aux mortels.» Según Paris, los temas, libremente tratados, procedían directamente de Ovidio y no, por razones de fechas, del *Teatro de los dioses de la gentilidad*, del P. Fr. Baltasar de Vitoria.

de su tiempo; pero, tal vez, esta división sería simplista. La primera conclusión que podría deducir el que vaya a la caza de símbolos y estructuras elementales en la *Vida*, sería que éstas se encuentran exclusivamente en el área de la primera trama, de la trama A, mientras la trama B está casi desprovista de ellas. No es que en algunas situaciones, o en boca de algunos personajes de esta última trama no sea posible captar a veces algunas de ellas, pero generalmente referidas a los personajes o a los hechos de la primera, y no dejaremos de ofrecer ejemplos de ello. Esta discriminación excluye la idea de la indiferencia con que las metamorfosis naturales estarían esparcidas y diseminadas en la obra, sugiriendo, por el contrario, la idea de una consciente localización de las mismas. Es demasiado pronto para decir a qué criterio obedece tal distribución, pero no desesperamos de descubrirlo en el curso de nuestro estudio. Pero si dibujásemos un mapa para representar la densidad de los signos elementales en la *Vida* obtendríamos el siguiente resultado: zonas bastante densas y otras totalmente blancas o con algún signo esporádico e insignificante. Pues bien, esta diferencia refleja perfectamente la línea de demarcación de las dos tramas: la espesa nervadura coincide enteramente, pues, con el drama de Segismundo y de cuantos le están próximos o se relacionan con él. Por ejemplo, en todo el resto del primer acto hay sólo un punto en el que vuelve a aflorar copiosísimos el borbotón de los elementos; cuando el rey Basilio, para explicar a la Corte la decisión tomada a su tiempo con respecto a Segismundo, afirma la autoridad de sus propios estudios de astrología. (Nótese además el contraste de la historia de Segismundo, que se desarrolla entre riscos y peñas, con el ambiente en que Basilio la cuenta, en medio del esplendor de palacio y de una corte elegante.)

> *Esos círculos de nieve,*
> *esos* doseles *de* vidrio
> *que el* SOL *ilumina a* RAYOS,
> *que parte la* LUNA *a giros,*
> *esos orbes de* diamantes,
> *esos* GLOBOS CRISTALINOS,
> *que las* ESTRELLAS *adornan*
> *y que campean los* SIGNOS,
> *son el estudio mayor*
> *de mis años, son los* libros

> *donde en* papel *de* diamante,
> *èn* cuadernos *de* zafiro,
> *escribe con líneas de* ORO,
> *en caracteres distintos*
> *el* CIELO *nuestros sucesos,*
> *ya adversos, ya benignos.*
>
> I, 624-639, p. 507, c. 1-2.

Ya que se habla de lectura de astros es inevitable la presencia de signos *f;* en efecto, hay ocho: *sol, rayos, luna, globos, cristalinos, estrellas, signos, oro, cielo,* pero entremezclados con ocho signos terrestres: *doseles, vidrio, diamantes, libros, papel, diamante, cuadernos, zafiro.* (Hemos considerado el «oro» como un signo del fuego siguiendo la clasificación wilsoniana, que lo considera como tal, en cuanto metáfora de los rayos solares, pero, de este modo, pierde el recuerdo de su origen metálico y terrestre.) ¿Por qué hay tantos signos terrestres en las palabras de Basilio? Tal vez, para hacer más accesibles con metáforas de objetos y de elementos sacados del familiar mundo terrestre, sus teorías sobre el lenguaje de los astros a un público, el de su Corte, ayuno de tales especulaciones. Esta es la explicación que podría sugerir este apretado núcleo de signos *t:*

> *...son los* libros
> *donde en papel de* diamante,
> *en* cuadernos *de* zafiro
> *escribe con líneas de* ORO...

en el que se lleva hasta el extremo un proceso de concreción, gracias al cual se ponen en evidencia los abstrusos esoterismos astrológicos de Basilio, según modos que nos esconden su procedencia gongorina. Aquí es evidente aquella *agradable repartición* que Gracián exige a las analogías. (Sea o no éste el motivo de su presencia, es interesante ver cómo estos grupos de signos no siempre tienen una explicación unívoca e inmutable.) Del mismo proceso nace el verso 653, en el que hasta el intelecto adquiere la dura concreción del cuchillo:

> BASILIO   [[...]
> *porque de los infelices*
> *aun el mérito es* cuchillo,

que a quien le daña el saber
homicida es de sí mismo!

I, 651-655, p. 507, c. 2.

El interminable parlamento de Basilio (casi 300 versos) se articula y colorea de puñados de signos, especialmente a partir de la gravidez de Clorilene, madre de Segismundo:

Antes que a la LUZ *hermosa*
le diese el sepulcro vivo
de un vientre [...]
[...]*vio que rompía*
sus entrañas, atrevido,
un monstruo *en forma de* hombre
y entre su sangre teñido,
le daba muerte, naciendo
víbora humana del siglo.
[...] *el* SOL, *en su* sangre tinto,
entraba sañudamente
con la LUNA *en desafío;*
y siendo valla *la* tierra,
los dos FAROLES *divinos*
a LUZ *entera luchaban*
ya que no a brazo *partido.*
El mayor, el más horrendo
ECLIPSE *que ha padecido*
el SOL [...]
este fue, porque anegado
el orbe entre incendios *vivos.*
[...]

I, 664-693, pp. 507-508.

Un signo de fuego: *luz*, y seis de tierra: *sepulcro, vientre, entrañas, hombre, sangre* (repetido dos veces) y *víbora humana* (con un doble valor); dos signos de fuego: *sol, luna*, y tres de tierra: *valla, tierra, faroles;* y, finalmente, fuego y tierra alternados: *luz, brazo.* El diagrama representa perfectamente, con la contraposición de los signos, el conflicto entre tierra y cielo que hemos visto encarnado en Segismundo. Otros dos signos de fuego: eclipse, sol, y luego, confusos signos osmóticos: *anegado el orbe en incendios.* (Que es otro ejemplo de lo que decíamos acerca de la oportunidad de clasificar no sólo los hombres sino también los verbos que conciernan vistosamente a un elemento, como «anegar» concierne al agua.)

Basilio llama a su hijo «víbora humana», refiriéndose a la creencia de que las víboras, al nacer, desgarraban el vientre de la madre. La imagen fija el horror del padre ante el hijo sobre el que ve cernirse la sombra del matricidio; pero la barbarie de Segismundo es una barbarie manierista. Entre los dramas que hemos visto, Semíramis también nace de un parto funesto semejante, y se acusa de ello:

> [...] *víbora humana yo,*
> *rompí aquel seno nativo,*
> [...]
>
> *Hija,* p. 724, c. 2.

La misma imagen es usada por Heraclio:

> *humana víbora fue*
> *que, reventando a su madre,*
> *en los montes se ocultó*
> [...]
>
> *En esta vida,* p. 1148, c. 1.

Pero hay otras varias «víboras humanas» esparcidas por las otras obras calderonianas, de las que Farinelli nos da una larga lista.[10] Por ello, debemos considerar éste como uno de aquellos sintagmas libres y fluctuantes, siempre disponibles en la memoria poética de Calderón.

Segismundo, Semíramis y Heraclio no tienen en común solamente la selva y el parto viperino, sino que los tres van vestidos con pieles. Calderón los emplea como tres distintas instrumentalizaciones poéticas de un mismo mito, que, poco más o menos por aquel tiempo, será teorizado y descrito por Gracián en el Andrenio de *El criticón* como contrapo-

---

10. *Op. cit.,* II, p. 410, n. 20. «¿...Desde el primero / Oriente mío, no fui / víbora, pues, que naciendo / la vida costé a mi madre?» (*Las manos blancas no ofenden*) —«Naciste tan desde luego / prodigiosa, que hecha humana / víbora, el materno albergue / de las piadosas entrañas / que te hospedaron, pagaste / inculpablemente ingrata, / dando, en precio de una vida, / una muerte» (*Los tres afectos de amor*) — «La víbora, que mordiendo / sus entrañas, poco a poco / se despedaza, sacando / muchas vidas de un aborto» (*El mayor monstruo los celos*) — «En tus entrañas / como la víbora, traes / a quien te ha de dar la muerte» (*La devoción de la Cruz*) — «Tú... / víbora humana del siglo» (*Duelos de amor y lealtad*) — «Si yo soy víbora, ¿cómo / no me rompo las entrañas?» (*Los encantos de la culpa.*)

sición entre Andrenio, «símbolo de la Naturaleza» y Critilo, «símbolo de la Cultura».[11] Es el mito platónico del hombre de la caverna, pero que Calderón selecciona a la inversa mediante un proceso de abstracción de cualquier condicionamiento o calificación individual o ambiental; pura esquematización universalizadora de la vida y del universo, obtenida mediante supresiones o substituciones de señales o con manifiestos algunos de los cuales hemos visto repetirse de un drama a otro, como si en vez de invenciones poéticas fuesen piezas intercambiables de un modelo universal. Esto explica la ficción por la cual Segismundo nos debe aparecer forzosamente vestido de pieles, es decir, como portador de un mensaje ferino cuyo motivo todavía no se ve por ahora, pero cuya función se verá a continuación en la íntima oscilación metonímica del personaje entre «hombre» y «fiera».

Existe otra relación que liga entre sí los tres dramas, *Vida, Hija* y *En esta vida*, es decir, la enorme deuda que algunos de sus personajes principales contraen con el mundo de los animales, o desde su nacimiento (*Hija, En esta vida*), o en su educación (*Vida*). Hemos visto a Segismundo construirse analógicamente una (abstracta) polis a través de sus observaciones sobre el mundo de los pájaros y de las fieras. En su caso, se trata de un mero alimento intelectual. Muy distinto manjar es el que reciben Focas (*En esta vida*) y Semíramis. El primero, de oscuro origen, abandonado entre los montes de Sicilia, creció en ellos como un salvaje, amamantado con leche de loba y alimentado de hierbas venenosas. Vale la pena leer el paso de su narración, tanto para ver que está atestado de signos elementales, sobre todo terrestres, como para ver actuar en su versión más feroz el poderoso vínculo que liga estos personajes a la naturaleza:

FOCAS   *Aquellas dos altas cimas*
que, en desigual competencia,
de fuego el volcán corona,
corona de nieve el Etna,[12]
fueron mi primera cuna

11. Las tres partes del *Criticón* fueron publicadas en 1651, 1653 y 1657. Recordamos, en cambio, que la *Vida* es de 1635, la *Hija* de 1653 y *En esta vida* de 1659.
12. Nótese que los términos de «un volcán, un Etna hecho» están aquí distribuidos en dos versos.

> [...], *sin que en ellas*
> *tuviese más padres que*
> *las víboras que en sí engendran.*
> *Leche de lobas, infante,*
> *me alimentó allí en mi tierna*
> *edad, y en mi vida adulta*
> *el veneno de sus yerbas;*
> *en cuya bruta crïanza*
> *dudó la naturaleza*
> *si era fiera o si era hombre,*
> *y resolvió, al ver que era*
> *hombre y fiera, que creciese*
> *para rey de hombres y fieras.*[13]
> *Y así en primer vasallaje*
> *me juraron la obediencia*
> *cuantas, desnudas las garras,*
> *cuantas, armadas las testas,*
> *tributaron, destrozadas,*
> *a mi sañuda [violencia]*
> *vestido y vïanda en piel*
> *y cadáver: de manera*
> *que a mi furia sin segunda*
> *dos frutos daba mi diestra*
> *en el horror que me adorna,*
> *y el manjar que me alimenta.*
>
> *En esta vida*, p. 1110, c. 2.

Semíramis es engendrada de una doble violencia mortal: su padre, con la ayuda de Venus, violenta a la que será su madre, Arceta, ninfa de Diana. No habiendo podido rechazarlo, Arceta finge que lo perdona. En los siguientes versos, Semíramis refiere a Menón lo que Tiresias le ha contado sobre su nacimiento.

SEMÍRAMIS: [...] *bien como*
> *la serpiente que con silbos*
> *halaga para morder;*
> *y fue así pues divertido*
> *le aseguró con blanduras*

---

13. En la *Vida* los dos términos dependen recíprocamente uno del otro («un hombre de las fieras», «una fiera de los hombres»), mientras aquí se coordinan regidos comúnmente por un tercer elemento comprensivo («rey de hombres y de fieras»); es un distinto modo gramatical de presentar al «monstruo».

> *hasta que rosas y lirios*
> *que él hizo tálamo torpe,*
> *torpe túmulo ella hizo.*
> *Diole muerte con acero,*
> [...]
>
> *Hija,* p. 724, c. 1.

Llega el día del parto y, como en el caso de Segismundo, tenemos funestos presagios celestes:

> [...] *estaba todo*
> *ese globo cristalino*
> *(por un comunero eclipse*
> *que al sol desposeerle quiso*
> *del imperio de los días)*
> *parcia, turbado y diviso,*
> *tanto, que entre sí lidiaron*
> *sobre campañas de vidrio*
> *las tropas de las estrellas,*
> *las escuadras de los signos,*
> *acometiéndose airados,*
> *y ensangrentándose a visos.*
> *En civil guerra los dioses*
> *vieron ese azul zafiro,*
> *en sus ejes titubeando,*
> *desplomado de sus quicios.*
>
> *Hija,* p. 724, c. 1-2.

Nace Semíramis procurando la muerte a su madre:

> [...]
> *costándole al Cielo ya*
> *mi vida dos homicidios.*
> [...]
> *A los últimos alientos*
> *de Arceta y a mis gemidos*
> *acudieron cuantas fieras*
> *contiene el monte en su asilo,*
> *y cuantas aves el viento;*
> *pero con fines distintos,*
> *porque las fieras quisieron*
> *despedazarnos y herirnos,*
> *y las aves defenderlo,*

estorbarlo y resistirlo.
En esta lid nos halló
Tiresias, que había salido
a hacer del mortal eclipse
no sé qué astrólogo juicio;
y viendo de fieras y aves,
en dos bando dividido,
un duelo tan desusado,
un tan nuevo desafío,
llegó al lugar, viome en él,
y llevándome consigo,
vio que le seguían las aves,
llevando en garras y en picos
de las rústicas majadas
hurtados los lacticinios,
que ser pudiesen entonces
primero alimento mío.

Hija, p. 724, c. 2.

Contra la airada Diana interviene Venus, a quien correspondía la responsabilidad de aquella funesta pasión, y dice:

«Esa infanta, alumna es mía,
y como siempre vivimos
opuestas Diana y yo,
la ofende ella, y yo la libro.
Corrida de ver violada
una ninfa suya, quiso
que las fieras la ocultasen
hoy en los sepulcros vivos
de sus vientres, pero yo,
[...]
las aves, como, en efecto,
diosa del aire, la envío
a que la defiendan: ellas,
a ley de preceptos míos,
serán desde hoy sus nutrices,
trayéndola a aqueste sitio
cada día su alimento,
bien que a costa del aviso
que no sepan nunca de ella
los hombres, porque he temido
que Diana ha de vengarse

de mí en ella, y con prodigios
ha de alterar todo el orbe.
Hija, pp. 724-725.

Si detrás de la infancia de Focas, amamantado por los lobos, puede verse el recuerdo de Rómulo y Remo, la fantástica escena del combate entre pájaros y fieras en torno a los míseros cuerpos de la madre moribunda y de la recién nacida, y la escena del alimento robado y traído en el pico por los pájaros, son una creación de una novedad que creemos sin precedente. Pero tal invención no habría podido saltar fuera del juego de las estructuras y, en este caso, de la polarización tierra-aire, representada, sea en el combate entre fieras y pájaros, es decir entre seres animados terrestres y seres aéreos, sea en el choque entre Diana y Venus. Éstas dejan entrever aquí aquel proceso de tránsito interno, por el que, de su sublimación mitológica son desplazadas un poco más atrás, hasta la raíz natural del nacimiento de su mito, convirtiéndose en desnudas personificaciones de fuerzas elementales. Con lo cual hay que relacionar también el nombre de la protagonista y el de la obra:

SEMÍRAMIS [...] *como en la lengua siria,*
quien dijo pájaro, dijo
Semíramis, este nombre
[Tiresias] me puso por haber sido
hija del aire y las aves,
que son los tutores míos.
Hija, p. 725, c. 1.

Puede ser que el secreto de la creación de la Semíramis calderoniana se deba buscar en las entrañas sirias de este nombre. Pero volvamos a la *Vida.* En el parlamento de Basilio aparece ahora toda la tetrarquía elemental.

los CIELOS *se oscurecieron,*
temblaron los edificios,
llovieron piedras las nubes,
corrieron sangre los ríos.
En este mísero, en este
mortal PLANETA *o* SIGNO
nació Segismundo, [...]
I, 696-702, p. 508, c. 1.

La muerte de parto de Clorilene parece confirmar la sentencia sideral, y ahora también el padre tiene miedo del vaticinio en lo que a él se refiere.

BASILIO   [...] *él, de su furor llevado,*
            [...]
            había de poner en mi
            las plantas, y yo, rendido,
            a sus pies me había de ver
            —¡con qué congoja lo digo!—,
            siendo alfombra de sus plantas
            las canas del rostro mío.

                            I, 718-725, p. 508, c. 1.

En este paso hay dos motivos que nos ponen en guardia: en primer lugar, la repetición en tan breve espacio de tres términos o iguales o sinónimos —*plantas, pies, plantas*—, y, luego, la excesiva evidencia de las canas convertidas en alfombra bajo las plantas de Segismundo, metáfora hiperbólica —hecha objeto concreto— de Basilio, que será una de las claves del drama. Finalmente, el conflicto tierra-fuego reaparece, de nuevo en el discurso de Basilio, cuando comunica su decisión de segregar a Segismundo, en otra contraposición de signos:

            [...]
            determiné de encerrar
            la fiera que había nacido,
            por ver si el sabio tenía
            en las ESTRELLAS *dominio...*
            hice labrar una torre
            entre las peñas y riscos
            de esos montes, donde apenas
            la LUZ *ha hallado camino,*
            por defenderle la entrada
            sus rústicos obeliscos...
            [...] con públicos edicos
            declararon que ninguno
            entrase a un vedado sitio
            del monte [...]

                          I, 734-750, p. 508, c. 1-2.

Como se ve la proporción de signos *t* sigue siendo muy

elevada. Finalmente, pasando por alto algunos otros signos elementales cuya presencia podría ser simplemente casual, veamos como Basilio resume la condición de Segismundo a sus cortesanos en una proyección mítico-irónica:

[...]
cortesano *de unos* montes
y de sus fieras vecino.[14]

I, 814-815, p. 509, c. 1.

El afán de la *agudeza* lleva a Calderón a los límites del error, dejando surgir la duda de si en Basilio hay indiferencia, o peor, crueldad, hacia la trágica condición de su hijo, degradado al estado de fiera, y vestido incluso con pieles de fiera, por una especie de expresionismo escenográfico que tiende a subyugar al espectador, apuntando directamente a la fuerza del símbolo más que a la realidad, o a la lógica, de la situación. La subordinación del dolor a la paradoja expresada en las palabras de Basilio, actúa un poco en el mismo sentido ya que, forzando la lógica de los sentimientos presagia un conflicto lingüístico que se desarrollará en los otros actos. Y no sólo esto: aquí es precisamente el rey en persona quien da ejemplo del intercambio entre el orden político y el orden natural: quien esté fuera del primero es una fiera.

«El águila»

El análisis del tejido lingüístico-metafórico del primer acto de la *Vida* nos ha proporcionado un cierto número de resultados que podríamos ya resumir:

Primero. Un sistema de signos elementales determinado tanto por la constancia de ciertos signos como por el hecho de que su aparición tiene lugar o no en determinadas escenas, de forma que puede ser decisiva para establecer en cual de las dos tramas nos encontramos.

Segundo. Un gran símbolo abierto a dos frentes: la ecuación titánica que, desarraigada de su normal utilización mitológica, pone en contacto, en puntos y modos vitales y dinámicos, la peripecia de Segismundo en una o más de sus posibles interpretaciones clásicas, y un juego de secretas

14. Cfr. *En esta vida*, p. 1144, c. 2.

95

correspondencias o complicidades en el cosmos, expresado a través de la capilaridad de los signos.

A estos dos resultados se podría ya añadir, tal vez, un tercero, pero preferimos someterlo a ulteriores comprobaciones.

Otro extraordinario símbolo abierto es el que se nos ofrece en la primera escena del segundo acto, de la misma fuerza que el precedente, cuyo equivalente representa en el arco de la escanción escénica, pero con algún elemento modificador que nos hará avanzar un paso en nuestra aproximación al secreto compositivo y estructural de la obra.

La escena nos presenta a Clotaldo que refiere al rey como ha suministrado el somnífero a Segismundo para llevarlo dormido a palacio. En la prolija descripción de la preparación del bebedizo, pasaremos por alto todos aquellos elementos naturales inevitables en la farmacopea del tiempo. Veamos apenas un ejemplo de la precisión naturalística calderoniana:

> CLOTALDO   [...] *de secretos*
> *naturales está llena*
> *la medicina, y no hay*
> animal, planta, *ni* piedra
> *que no tenga calidad*
> *determinada;* [...]
>
> II, 21-26, p. 511, c. 1.

La división de la naturaleza en tres reinos no es más que una noción corriente, pero el paso nos da una prueba, a un nivel menos críptico, de la simpatía entre ciencia y poesía en Calderón. Después otro ritmo ternario:

> *Con la bebida, en efeto,*
> *que el* opio, *la* adormidera
> *y el* beleño *compusieron,*
> *bajé a la* cárcel estrecha
> *de Segismundo* [...]
>
> II, 37-41, p. 511, c. 1.

dice Clotaldo repitiendo de nuevo el emparejamiento de «cárcel» con un adjetivo como «estrecha», tan obvio e inútil, salvo en nuestra clave de lectura.

> [...] *con él*
> *hablé un rato de las letras*
> *humanas, que le ha enseñado*
> *la muda Naturaleza*
> *de los* montes *y los* CIELOS
> [...]
>
> II, 41-45, p. 511, c. 1.

Tenemos una vez más, a amigos y enemigos, a aliados y rivales, que cooperan en la educación de Segismundo, a los dos grandes antagonistas secretos, «montes y cielos», que actúan sobre la formación de su discípulo, acordando la filosofía, en sí discorde, de sus criaturas y moradores:

> *en cuya divina escuela*
> *la retórica aprendió*
> *de las* aves *y las* fieras.
>
> II, 46-48, p. 511, c. 1.

Ya hemos subrayado en la *Hija* una utilización más dramática de estos personajes invisibles, pero omnipresentes: las «aves y fieras». Aquí sólo ofrecen argumento de especulación al príncipe solitario al que antes hemos considerado en su personificación titánica y ahora está a punto de presentársenos en una nueva fase de su polimorfismo, nuevo pilar de sus estructuras cósmicas y naturales:

> *Para levantarle más*
> *el espíritu a la empresa*
> *que solicitas, tomé*
> *por asunto la presteza*
> *de un águila caudalosa,*
> *que, despreciando la esfera*
> *del viento, pasaba a ser,*
> *en las* REGIONES SUPREMAS
> *del* FUEGO, RAYO *de pluma,*
> o desasido COMETA.
> *Encarecí el vuelo altivo*
> *diciendo: «Al fin eres Reina*
> *de las aves, y así, a todas*
> *es justo que te prefieras.»*
>
> II, 49-62, p. 511, c. 1.

Bien mirado, desde el punto de vista estructural, no hay ninguna diferencia entre el Segismundo titán y el Segismundo águila: el primero es un gigante que elevándose sobre los montes terrenos, intenta la escalada del cielo, del sol, es decir, de la esfera del fuego; aquí el águila hace otro tanto: despreciando la esfera del viento, se convierte en plumífero rayo del fuego o en cometa errante. La función es idéntica: el mismo sueño de alturas sin frenos y sin vértigos de un alma hecha para el desafío y para el dominio. Nótese que Calderón no se cansa de recomendarnos el modo en que debemos acoger el nuevo símbolo:

> *Para levantarle más*
> *el espíritu a la empresa* [...]
> *Encarecí el vuelo altivo* [...]

Que el águila no es un mero ejemplo, sino un modelo de identificación para Segismundo lo demuestra, por una parte, su adhesión al sistema de estructuras que hemos ido descubriendo, y por otra, la prontitud con que Segismundo lo acoge y lo compara con su real condición (completamos la cita):

> *Él no hubo menester más;*
> *que tocando esta materia*
> *de la majestad, discurre*
> *con ambición y soberbia;*
> *porque, en efecto, la sangre*
> *le incita, mueve y alienta*
> *a cosas grandes, y dijo:*
> *«¡Que en la república inquieta*
> *de las aves también haya*
> *quien les jure obediencia!*
> *En llegando a este discurso,*
> *mis desdichas me consuelan;*
> *pues, por lo menos, si estoy*
> *sujeto, lo estoy por fuerza;*
> *porque voluntariamente*
> *a otro hombre no me rindiera.»*
>
> II, 62-78, p. 511, c. 1-2.

Se podría notar la total incongruencia de hechos e ideas en el plano de la persuasión y verosimilitud normal: la pedagogía de Clotaldo, que debería servir para fortificar el libre albedrío de su discípulo contra la fatalidad de los astros, parecería, en cambio, la más adecuada para excitar aún más su feroz titanismo; pero el mismo Clotaldo parece darse cuenta de tal efecto contrario, ya que, inmediatamente después de la proclamada declaración segismundiana de incoercible rebelión, le da a beber la poción; finalmente, parecería sorprendente la total incomprensión dialógico-dialéctica entre el súbdito Clotaldo y su rey, el cual evidentemente tampoco captaría la extrema claridad del símbolo monstruoso del hijo a través de la declaración de Clotaldo (subrayamos):

«En llegando a este discurso,
mis desdichas me consuelan;
pues, por lo menos, si estoy
sujeto, lo estoy por fuerza;
porque voluntariamente
a otro hombre no me rindiera.»

Evidentemente, el único al que Calderón se dirigía con la intención de hacerle entender el símbolo de la rebelión (naturalmente, a fin de advertirlo) sería al espectador; por otra parte, es obvio que el proceso excepcional de la trama se puede realizar solamente con la absoluta autonomía de los signos solares y astrales, los cuales se desencadenan por su propia cuenta en figuras mítico-semánticas. El águila es una variante del titanismo de Segismundo que tiende, o mejor dicho, está en la esfera del fuego. Recordemos que al final del primer acto, Segismundo se imagina gigante contra los cielos y, consciente de su propio titanismo, aprueba con ironía que se le quite la libertad, ya que, fuera de la prisión, los conquistaría y quebraría, elevándose sobre desmesurados cúmulos terrestres.

Pero se podría dar otra interpretación. Clotaldo introduce el tema del águila y, es más, pasando directamente del plano retórico a la realidad, parece que la muestra a Segismundo mientras pasa como una flecha hasta la región ígnea, e incluso se dirige a ella misma:

diciendo: *«Al fin eres Reina*
de las aves, y así a todas
es justo que te prefieras.»

Así pues, al actuar y al hablar así, Clotaldo parece perseguir el fin de azuzar el soberbio titanismo de Segismundo hasta el paroxismo («Él no hubo menester más...») para prepararlo a la prueba de la verdad de los astros sobre su comportamiento real después de su despertar del sopor provocado por el somnífero. Así sucede, en consecuencia, con el retorno simbólico del águila en otros dos parlamentos de Clotaldo. Pero la doble interpretación se podría resolver únicamente en la misma ambigüedad del símbolo del pájaro imperial, que, por una parte, es signo de generosa grandeza («mueve y alimenta / a cosas grandes») y, al mismo tiempo por otra, de soberbia y de rebelión: signos contrarios implícitos en la estructura del monarca potencial.

Así pues, Segismundo es objeto de una doble zoomorfización: por una parte, la desagradable de la «fiera» o «nacido entre las fieras» o «vecino de las fieras»; por otra, la zoomorfización a él grata del «águila». La primera, relativa a su realidad y a su doble cárcel de piedra, la cárcel propiamente dicha, y el pétreo paisaje en que se halla prisionero; la otra, un modelo al que ajustar su sueño de altura y de poder. Se trata de emblemas vivos, es decir, no basados estáticamente en semejanzas físicas sino en las cualidades y en el comportamiento de Segismundo y de los animales que, de vez en vez, se le comparan. La escena del despertar de Segismundo vuelve a proponer el mismo contraste elemental, pero algo empieza a cambiar. No en balde hemos abandonado los grandes paisajes de piedra bajo los cielos y las estrellas y nos encontramos entre los espacios cerrados y los ricos enseres del palacio real.

> SEGISMUNDO   *¡Válgame el* CIELO, *qué veo!*
> *¡Válgame el* CIELO, *qué miro!...*
> *¿Yo en palacios suntuosos?*
> *¿Yo entre telas y brocados?*
> *¿Yo cercado de criados*
> *tan lucidos y briosos?*
> *¿Yo despertar de dormir*
> *en lecho tan excelente?*
>
>   II, 239-248, p. 513, c. 1.

El primer efecto de este cambio de tema es que el cielo está presente pero con mayúscula, es decir, con una motivación teológica. El otro término, objetos y seres animados terrestres, sigue fijo como sigue inalterada su prevalencia numérica:

CLOTALDO   [...] *Si has estado*
                retirado y escondido,
                por obedecer ha sido
                a la inclemencia del hado,
                que mil tragedias consiente
                a este imperio, *cuando en él*
                el soberano laurel
                corone tu augusta frente.
                Mas, fiando a tu atención
                que vencerás las ESTRELLAS,
                porque es posible vencellas
                a un magnánimo varón,
                a palacio *te han traído*
                de la torre *en que vivías,*
                [...]
                          II, 291-304, p. 513, c. 2.

Una vez más, seis signos terrestres rodean a «estrellas», tomado como pura referencia astrológica de aquel «fanatismo sideral»,[15] que es la causa primera del drama. Sigue una antítesis terrestre que se refiere más directamente a la peripecia de Segismundo en el segundo acto:

               a palacio *te han traído*
               de la torre *en que vivías* [...]

Pero dura poco el riesgo de que la acción, oscilando ahora entre los polos «palacio» y «torre», sea desarraigada del sistema de analogías elementales, y despojada de uno de sus aspectos más fantásticos. Contribuirán a alejar este riesgo Astolfo y los siervos, y todos, quien para adular a Segismundo, quien para ofenderlo, volverán a restituirnos el sentido de los grandes espacios, terrestres y celestes, que siempre encontramos junto a él. Astolfo lo saluda así:

               ¡Feliz mil veces el día,
               oh Príncipe, que os mostráis
               SOL *de Polonia, y llenáis*

15. M. Menéndez y Pelayo, *op. cit.*, III, p. 224.

> *de* RESPLANDOR *y alegría*
> *todos estos* horizontes
> *con tan divino* ARREBOL;
> *pues que salís como el* SOL,
> *de debajo de los* montes!
> *Salid, pues, y aunque tan tarde*
> *se corona vuestra* frente
> *de* laurel *resplandeciente,*
> *tarde muera.*

II, 355-366, p. 514, c. 1.

En la relación *t f* aumentan los signos ígneos, lo cual corresponde perfectamente a la inversión de la situación dramática. Segismundo, el titán que quería despedazar el sol, ahora él mismo es el sol, aunque sólo sea en la intención hiperbólica cortesana (pero para Calderón hay total coincidencia entre lo real y lo metafórico), y ya ha abandonado los montes de su soledad y de su prisión y los ilumina desde su altura remota. Es una anticipación retórica de su monarquismo solar. Recuérdese que en el Siglo de Oro el sol es emblema del monarca (cfr. *El villano en su rincón*). Toda la *Vida* es una preparación a la monarquía como drama del heredero que, afirmando su libre albedrío, se hace digno del padre, no en tanto tal, sino en cuanto rey. Efectivamente, desde la más ínfima de las condiciones, se encuentra ahora en el vértice supremo del poder por una inversión vertiginosa de la suerte. Pero el «palacio» quisiera, sin confesarlo, rechazarlo hacia la «torre». El mismo Astolfo, en su ceremoniosa adulación no deja de recordarle su origen:

> [...]
> *pues que salís como el* SOL
> *de debajo de los* montes!

Y sin demasiadas contemplaciones, el Criado 2.º informa a Astolfo de este modo:

> *Vuestra alteza considere*
> *que* [S.] *como en* montes *nacido*
> *con todos ha procedido.*

II, 379-381, p. 514, c. 1.

En las bocas de cortesanos y criados, la presencia de Segismundo, del extraño perteneciente, si no a una condición distinta sí, por lo menos, a una experiencia y a un lenguaje diversos a los de la Corte, suscita inevitablemente la referencia a los «montes» de que procede, y que el espectador ya ha visto —agrestes, a pico, pavorosos— al levantarse el telón en el primer acto. Sin saberlo, y ciertamente sin proponérselo, cada vez que un personaje habla de los montes evoca en el espectador o en el lector una imagen real que, en él, personaje, es un simple término de comparación. No sólo; en la memoria, aquel paisaje bravío y desolado se agiganta todavía más, comparado con el actual escenario cortesano, del que Calderón no nos da ninguna descripción, dejando simplemente que fuese ofrecido a nuestros ojos por las palabras de los cortesanos. En cambio, entre éstos se forma un frente de solidaridad lingüística que incluye y sostiene, incluso a un personaje que es verdaderamente extranjero —en sentido tradicional— como Astolfo, duque de Moscú.

Dos retratos de Segismundo, uno adulador y otro severo, salen de la boca de dos personajes, que, atraídos a la órbita, no sólo psicológica, sino también lingüística del gigantismo de Segismundo, elevan su propio nivel —especialmente Astolfo— al nivel de sus paisajes y de sus grandes metáforas naturales. Unos cien versos más adelante, Astolfo reprochará, con la urbanidad del hombre de corte, la condición ferina de los lugares de que procede Segismundo y a los que se asemeja. Es importantísima esta confirmación de la identificación entre Segismundo y la salvaje naturaleza de su paisaje, que aquí Calderón cierra lapidariamente en una perfecta ecuación geométrica, que contrapone los impulsos de donde se hace más extremada, inevitable y cultivada la adhesión a un complejo juego de relaciones filtradas por la experiencia cortesana y, en cierto modo, esquematizadas en un ceremonial, al que se confía la suprema cristalización de siglos en un gesto ritual.

ASTOLFO   [...]
> que lo que hay de hombres a fieras
> hay desde un monte a palacio.
>
> II, 449-450, p. 515, c. 1.

que también podríamos escribir:

fieras : *hombres* :: *monte* : *palacio*

Obsérvese, en relación con la nota 13 de la página 104, que el conjunto monstruoso «hombres y fieras» aquí está escindido, y «hombre» se opone a «fiera», adquiriendo el significado de «cortesano», hombre civil.

Así pues, Calderón nos da la fórmula matemática del drama, mejor dicho, de uno de los componentes del drama, es decir, del contraste entre dos distintos planos lingüísticos. (Este tipo de ecuaciones poéticas, formas más complejas de relaciones de lo real, las hemos puesto en evidencia en Góngora como fórmulas arquimédicas de balanza y de palanca.) [16] Una nueva combinación de la relación «hombre-fiera» se nos vuelve a presentar en nuevos términos en una escena importante del drama: la escena entre Segismundo, que ha defenestrado al criado impertinente, y Basilio. La escena es importante, además, porque la polarización *t f* además de a nivel lingüístico metafórico, esta vez toma cuerpo y figura en el choque de los personajes. Y ya que Basilio se apropia, en cuanto padre y monarca —luego veremos cuanto hay de usurpación en ello— de los signos *f*, que alza como estandartes celestes, Segismundo blandirá los signos *t* con una (orgullosa) contraposición que nos hace tocar con la mano, por una vez, la relación entre el drama y su mecánica elemental.

SEGISMUNDO [...]
A un hombre que me ha cansado
de ese balcón he arrojado
[...]

BASILIO *Pésame mucho que cuando,*
Príncipe, a verte he venido,
pensando hallarte advertido,
de hados y ESTRELLAS *triunfando,*
con tanto rigor te vea,
y que la primera acción
que has hecho en esta ocasión,
un grave homicidio sea.
¿Con qué amor llegar podré
a darte ahora mis brazos,
si de sus soberbios lazos
que están enseñados sé

16. V. Bodini, *Studi sul Barocco di Góngora*, Roma, 1964, pp. 79-105.

                          a dar muerte? ¿Quién llegó
                          a ver desnudo el puñal
                          que dio una herida mortal
                          que no temiese? ¿Quién vio
                          sangriento el lugar, *adonde*
                          a otro hombre dieron muerte,
                          que no sienta? [...]
                          [...]
                          Yo así, que en tus brazos *miro*
                          de esta muerte el instrumento,
                          y miro el lugar *sangriento,*
                          de tus brazos *me retiro;*
                          y aunque en amorosos lazos
                          ceñir tu cuello pensé,
                          sin ello me volveré,
                          que tengo miedo a tus brazos.

SEGISMUNDO   [...]
                          [...] *un padre que contra mí*
                          tanto rigor sabe usar,
                          [...]
                          como a una fiera *me cría,*
                          y como a un monstruo *me trata*
                          y mi muerte solicita,
                          de poca importancia fue
                          que los brazos *no me dé*
                          cuando el ser de hombre *me quita.*
                                          II, 456-502, p. 515, c. 1-2.

Reaparece ahora el cielo en boca de Basilio:

BASILIO   *Al* CIELO *y a Dios pluguiera*
                          que a dártele no llegara;
                          [...]
                                          II, 503-504, p. 515, c. 2.

A ello Segismundo contrapone la ley de la naturaleza:

SEGISMUNDO   *Mi padre eres y mi Rey;*
                          luego toda esta grandeza
                          me da la naturaleza
                          por derechos de su ley.
                          [...]

BASILIO   *Bárbaro eres y atrevido;*
cumplió su palabra el CIELO;
[...]

II, 523-536, p. 515, c. 2.

y así sucesivamente, hasta la afirmación de consciencia por
parte de Segismundo y a su desafío de «monstruo» y de te-
rreste «gigante».

> [...]
> *sé quien soy y no podrás,*
> *aunque suspires y sientas,*
> *quitarme el haber nacido*
> *de esta corona heredero;*
> *y si me viste primero*
> *a las prisiones rendido,*
> *fue porque ignoré quién era;*
> *pero ya informado estoy*
> *de quien soy y sé que soy*
> *un compuesto de hombre y fiera.*

II, 553-562, p. 516, c. 1.

Aceptando su propia doble condición de «hombre y fiera» (lo que hace de él una creatura dos veces terrestre), Segismundo reprocha a su padre la culpa de su propia monstruosidad, arrojándole su propio juicio de «hombre» y la
amenaza de su venganza como «fiera».

La alienación lingüística de Segismundo

Este es el modo, variadamente articulado, en que el aire
de los grandes espacios solitarios, de las rocas y de los cielos, entra con Segismundo en los cerrados ámbitos de la
Corte y en su lenguaje desnaturalizado. ¿Qué contrapartida
pagará Segismundo por este desplazamiento lingüístico?

Y aquí (¿lamentablemente?) debemos distinguir en él dos
tipos de comportamiento: uno, el gestual, en perfecto acuerdo con el Segismundo del primer acto y su destino de rebelde y solitario, así como con su simbolismo elemental.
Desarraigado, asocial, violento, en situaciones diversísimas,
pero a igual nivel de comportamiento, él rechaza las estructuras de la sociedad que lo ha excluido de sí y pisotea

106

sus leyes, sus mitologías y sus tradiciones. Su choque con Astolfo por el privilegio nobiliario de llevar la cabeza cubierta, el homicidio del criado defenestrado, la agresión erótica a Rosaura y el intento de matar a Clotaldo son otros tantos modos de saltar por encima de cualquier condicionamiento moral del ambiente, en perfecta coherencia con los grandes símbolos del titán y del águila.

Pero si nuestro personaje no conoce el lenguaje de la Corte y sus pragmáticas, conforme a su condición de hombre que ha vivido cubierto de pieles de animales y en segregación, vemos que luego, extrañamente, domina y emplea el código más complicado y alambicado de tal lenguaje: el código de las «finezas cortesanas», del requiebro galante, pura pirotecnia retórica que usa, incluso con la mala fe y el posibilismo necesario para cortejar a dos mujeres casi en los mismos términos y a distancia de pocos minutos.

Las dos mujeres son Estrella y Rosaura, que en palacio se hace llamar Astrea, y que Segismundo no ha reconocido como el caballero que entró al principio del primer acto en su prisión. Pero Estrella y Astrea son nombres parcialmente homófonos:

ASTR-ea
ESTR-ella.

No sólo, sino que además coinciden en su adscripción al mundo sideral. Si observamos las agitadas aventuras de la Astrea mitológica veremos que tal elección se ajusta por más de una razón a nuestra heroína: habiendo abandonado la Tierra a causa de la creciente maldad humana, Astrea, diosa de la Justicia, ocupa un puesto en el Zodíaco bajo el nombre de la Virgen.[17] Así, pues, hay tres significados que nos interesan en el mismo mito: como diosa de la Justicia representa el plano más superficial de la justicia que Rosaura exige a su seductor Astolfo; como Virgen, recuerda a Rosaura su honor perdido; finalmente, como constelación, obedece a la fenomenología segismundiana. Esta maraña de polivalencias es otra prueba de su constitución caótica. Así

---

17. E. Forcellini, *Lexicon totius latinitatis*, Padova, 1940, p. 193. «Astrea soror Pudicitiae, eademque Latinis *Justitia* et Graecis *Themis* cognominata, quae seculo aureo seu Saturni aetate terram incoluit; sed invalescente ubique iniquitate, cum *Pudicitia* caelum repetit; hinc *Virginis* sidus in Zodiaco caelesti *Astrea* quoque dictum... *Ovid. Met.* 150. saeculo ferreo virgo calde madentes Ultima caelestum terras Astraea reliquit.»

pues, tenemos a Segismundo oscilando entre Estrella y Astrea, entre una estrella y una constelación, y cortejándolas a ambas con el más inesperado e increíble de los lenguajes, repudiando sus grandes interrogaciones sobre la vida y el cosmos, su violencia titánica, la sombría monarquía del águila y el terror que la despiadada sucesión de sus actos ha esparcido por la Corte, para ensartar hipérboles, *agudezas*, *juegos de palabras* que son auténticos estereotipos, jerga de una sociedad en cuyas antípodas ha vivido hasta ahora, y que para él deberían haber sido como una lengua extranjera. Nos turbamos al verle manejar este lenguaje con tanta desenvuelta maestría, que agrava la medida de la traición. Todas las veces que encontramos en las obras teatrales del siglo XVII español elementos y estructuras que hemos aprendido a aislar como constantes en Lope y los lopistas, no dejamos de maravillarnos por tal repetición, que no podemos explicarnos simplemente como un inerte mimetismo, que parece inadmisible en autores que nos asombran, por otra parte, por la audacia de sus experimentos. ¿Cómo se concilia esta supina obediencia con la disposición a violar los cánones y hasta a mofarse de ellos? ¿Es un conformismo en el que terminan por caer los autores que más rebeldes se consideran, precisamente en el momento en que creen lo contrario? ¿Y cómo espíritus y temperamentos tan diversos y tan opuestos pueden tener en común rasgos —que aunque sean menores—, precisamente en virtud de su indefectible reiteración puden ser tomados, probablemente sin razón, como típicos de la literatura dramática de este tiempo? Sin embargo, cuando insistimos en buscar en autores tan distintos lo que puedan haber tenido en común para poder justificar fórmulas o esquemas o ingredientes comunes, después de haber probado y vuelto a probar hipótesis, vemos que al final, no queda más que una sola: el común destinatario y consumidor de su obra, el espectador barroco, es el único punto de convergencia al que se pueden remontar algunas responsabilidades, algunos defectos y también —¿por qué no?— algunos **méritos**.

Estas escenas galantes son, como las romanzas de los melodramas decimonónicos, partes desmontables de la obra, de las que no se puede defraudar al público. Las podemos considerar como una especie de ceremonial que tiene como consecuencia la alienación lingüística del personaje. Lo que él dice se podría poner en labios de cualquier personaje de cualquier otro drama, por lo menos del mismo autor. Mientras estos personajes no son más que «galanes» podemos hasta no darnos cuenta de ello. El contraste salta a la vista cuando el personaje se ve determinado lingüísticamente por ello en sentido diverso y opuesto. Éste, precisamente, es el caso de Cipriano en el *Mágico*: intelectual, atormentado por la duda, lo vemos dejar su propia ciudad en fiestas para reflexionar en la soledad de los bosques sobre la naturaleza de los dioses, cuya pluralidad rechaza con rigurosos y apasionados argumentos en una discusión con el demonio. Luego, apenas ve a Justina, se enamora de ella e invoca los derechos del dios del amor:

JUSTINA	*Que osado no sea*
	vuestro amor.
CIPRIANO	*¿Cómo, si es dios?*
JUSTINA	*¿Será más dios para vos*
	que para los dos lo ha sido?

p. 616, c. 2.

Por lo que se refiere al lenguaje, es como si en lugar de Cipriano hablase otra persona. Esta impresión de suplantación de persona se debe al hecho de que en esta escena el personaje es reemplazado por una función ritual: el «galán», conforme a la concepción democrática y niveladora del eros en el teatro del Siglo de Oro, por la cual, en la manera lingüística y gestual del ceremonial, se anulan las diferencias de personalidad, debidas a un diverso registro ideológico, en función de la trivialidad del espectador. Es decir, el eros decae desde el absoluto petrarquista-herreriano hasta el manierismo, respecto al cual se parifica el comportamiento típico del personaje. Hay que añadir también que las desviaciones amorosas del héroe dependen del arbitrio del autor-operador, naturalmente condicionado por la expectación del espectador, el cual pretende una parte alícuota de atracción del héroe a su propia condición. Es obvio que en el campo inerte del manierismo galante y erótico, cada comediógrafo compita en el inducir variantes hedonísticas. Tal desfase lingüístico se ve agigantado en Segismundo por su sesquipedal superioridad sobre cualquier otro personaje calderoniano, lo que acrece desmesuradamente la evidencia y el alcance del error en el doble *tableau* del drama escatológico y del paralelo, si no isócrono, conflicto de estructuras elementales.

Todavía está tan fresco el recuerdo de los datos que Segismundo nos da sobre su propia cultura:

> ....sólo advierto
> este rústico desierto...
> y aunque nunca vi ni hablé
> sino a un hombre solamente...
> por quien las noticias sé
> de cielo y tierra.................
> La política he estudiado,
> advertido de las aves,
> y de los astros süaves
> los círculos he medido...

y de su aparición, envuelto en el inútil pero fantástico significante de las pieles de fieras, tan intencionadamente motivado como enseña (o alternativa) de Segismundo, que el verlo ahora tan ducho en el uso de un instrumento tan convencional y tan típicamente cortesano, nos parece no sólo gratuito, sino también irremediablemente contradictorio, aunque hay ejemplos que demuestran que Calderón quiso insistir a propósito en la discordancia de mensajes entre el signo verbal y el signo visivo de las pieles, como cuando *En esta vida* hace que Cintia se dirija a Heraclio vestida de pieles, con una alternativa que podría no estar falta de ironía:

> [...]
> o esa voz no es de esa piel,
> o esa piel no es de esa voz:
> [...]
>
> En esta vida, p. 1118, c. 2.

Sin embargo, ni siquiera en estas ocasiones Segismundo renuncia a sus símbolos celestes, pero en la frivolidad del contexto se ven sometidos a una instrumentalización que los mortifica y bastardea. Veamos la escena con Estrella: [18]

---

18. C. Samonà (*Op. cit.*, pp. 98-99) nota la cristalización del lenguaje cortesano en esta cena y su excesiva semejanza con las palabras ya dichas por Astolfo a la misma Estrella.

SEGISMUNDO	*Dime tú ahora, ¿quién es*
	esta beldad soberana?
	¿Quién es esta diosa humana
	a cuyos divinos pies
	postra el CIELO *su* ARREBOL?
	¿Quién es esta mujer *bella?*
CLARÍN	*Es, señor, tu prima* ESTRELLA.
SEGISMUNDO	*Mejor dijeras el* SOL.
	Aunque el parabién es bien
	darme del bien que conquisto,
	de solo haberos hoy visto
	os admito el parabién;
	y así, del llegarme a ver
	con el bien que no merezco,
	el parabién agradezco,
	ESTRELLA; *que amanecer*
	podáis, y dar alegría
	al más luciente FAROL.
	¿Qué dejáis de hacer al SOL
	si os levantáis con el día?
	Dadme a besar vuestra mano
	en cuya copa de nieve
	el aura candores *bebe.*

II, 399-421, p. 514, c. 2.

Entre tantos estereotipos convencionales, «beldad soberana», «diosa humana», el cielo que se postra, el retruécano «parabién-bien», todos ellos lugares comunes de un lenguaje de jerga, socialmente elevada, pero jerga al fin y al cabo, no nos parece posible que Calderón haya podido alienar con un procedimiento tan trillado la rigurosa y noble, y todavía enigmática, substancia de sus signos celestes indelicadamente exhibidos al final de verso en ocasión tan impropia. Recordemos:

CLARÍN	*Es, señor, tu prima* ESTRELLA.
SEGISMUNDO	*Mejor dijeras el* SOL.

El proceso de motivación a que está sometido el nombre de Estrella hace que, de nombre propio, se lo deba considerar nombre motivado o significativo, lo que sucede en los

111

nombres mitológicos,[19] y tanto más en este caso en que el nombre está explícitamente contrapuesto al sol.

De todos modos, hay que observar que tampoco aquí, donde el lenguaje de cortesía se superpone al que debería haber sido el lenguaje de Segismundo (como venía sugerido por su procedencia y por los actos que paralelamente cumple), Segismundo consigue prescindir de su simbología elemental, tan sólidamente vinculada al núcleo auténtico de su personaje. Es más, notamos mayor número de signos ígneos: «cielo», «arrebol», «Estrella», «sol», «farol», «sol». En una triple sinestesia que afecta al tacto («mano»), al gusto («bebe») y a la vista («nieve» y «candores»), aparece también insólitas combinaciones aéreas y acuáticas:

> *Dadme a besar vuestra mano*
> *en cuya copa de nieve*
> *el aura candores bebe.*

También la equivalencia «mano»-«nieve»-(«cristal») es típicamente gongorina.

La misma fidelidad al simbolismo sideral, aun registrando la inercia tópica de tales situaciones, se da en la escena en la que inmediatamente después de haber cortejado a Estrella, Segismundo hace la corte a Rosaura, con una disponibilidad que podría atribuirse a la más consumada y cínica experiencia cortesana, lo que confirma la intervención arbitraria del autor en la organicidad del personaje con una finalidad descongestionadora. Ya antes de que Rosaura haga su aparición, Segismundo usa en un falso «concepto» (alteración sexual del *microcosmos*, a cuya concepción es extraña la difrencia *hombre/mujer*), las ya clásicas coordenadas tierra-cielo (como fuego):

> [...] *Leía*
> *una vez, en los* libros *que tenía,*
> *que lo que a Dios mayor estudio debe,*
> *era el* hombre *por ser un* mundo breve,
> *más ya que lo es recelo*
> *la* mujer, *pues ha sido un* breve CIELO;

19. Para varios fenómenos de deslexicalización de nombres mitológicos véase el estudio de A. Martinengo, *La mitologia classica come repertorio stilistico dei manieristi ispanoamericani*, en «Studi di Letteratura Ispano-Americana», Milano, 1967, pp. 77-105; *ib.*, bibliografía correspondiente.

> *y más beldad encierra*
> *que el* hombre, *cuanto va de* CIELO *a* tierra;
> *y más si es la que miro.*
>> **II, 577-585, p. 516, c. 1.**

también aquí tenemos en forma proporcional:

hombre : mujer :: tierra : cielo

La misma proporción encontramos, en forma todavía más concisamente matemática, en *En esta vida,* y con la repetición de los mismos términos:

> [...]
> *pues si el* hombre *es* breve mundo,
> *la* mujer *es* breve cielo.
>> *En esta vida.* p. 1118, c. 1.

Nótese cómo la presencia de Rosaura implica una transformación en sentido culterano del lenguaje, semejante a lo que hemos identificado como fenómenos de violencia lingüística: *Paradojas*:

> SEGISMUNDO *Oye,* mujer, *detente*:
> *no juntes el* OCASO *y el* ORIENTE
> [...]
>> **II, 587-588, p. 516, c. 1.**

Antítesis: ROSAURA   (*Yo esta pompa, esta grandeza*
                  he visto reducida
                  a una estrecha *prisión.*)
>> **II, 595-597, p. 516, c. 2.**

que recuerda el monstruo de la cárcel (cfr. «estrecha cárcel» en el parlamento de Clotaldo, I, 328, y la misma «cárcel estrecha» en II, 40) [20] y parece corresponder con la «grandeza [...] reducida» al «breve mundo». Finalmente, después de otro juego de palabras sobre el nombre Estrella, pero esta vez en sentido contrario y desfavorable para Estrella,

---

20. Cfr., una vez más con «cerrada / prisión» en el parlamento de Segismundo, III, 1118-1119, p. 533, c. 2.

113

Segismundo vuelve a los temas familiares a su meditación de solitario de las jerarquías naturales y celestes:

ROSAURA   [...] *Soy de Estrella*
                 una infelice dama.
SEGISMUNDO   *No digas tal; di el* SOL, *a cuya* LLAMA
                 aquella ESTRELLA *vive*
                 pues de tus RAYOS RESPLANDOR *recibe;*
                 yo vi en reino *de* olores
                 que presidía entre comunes flores
                 la deidad de la rosa,
                 y era su emperatriz *por más hermosa.*
                 Yo vi entre piedras *finas*
                 de la docta academia de sus minas
                 preferir el diamante,
                 y ser su emperador *por más brillante.*
                 Yo en esas cortes *bellas*
                 de la inquieta república *de* ESTRELLAS,
                 vi en el lugar primero
                 por rey de las ESTRELLAS *el* LUCERO;
                 yo en ESFERAS *perfectas,*
                 llamando el SOL *a* cortes *los* PLANETAS,
                 le vi que presidía
                 como mayor oráculo del día.
                 ¿Pues cómo, si entre flores, *entre* ESTRELLAS,
                 piedras, SIGNOS, PLANETAS, *las más bellas*
                 prefieren, tú has servido
                 la de menos beldad, habiendo sido
                 por más bella y hermosa,
                 SOL, LUCERO, diamante, ESTRELLA *y* rosa?
                              II, 606-632, p. 516, c. 2.

La figura de correlación es la siguiente (indicamos con mayúscula el género y con minúscula el individuo); en la lista, *a, b, c, d, e*/A, B, C, D, E; en la «recolección» cambia el orden, respectivamente: B, D, C, A, E/*e, d, c, a, b*; hemos identificado *rayos* en la lista con *signos* en la «recolección» genérica.

Nos encontramos con un retorno pleno y copioso a lo que, después de tantas comprobaciones, podríamos llamar el sistema de signos segismundianos. En efecto, en 27 versos podemos contar una cifra récord de 36 signos ígneos y terrestres, en la que observamos una inversión de las proporciones de la habitual relación, ya que tenemos 19 signos ígneos contra 17 terrestres. Pero lo que para nosotros tiene la mayor importancia, porque confirma rigurosamente nuestras hipótesis bastante más allá de lo necesario, es que entre tantos signos no hay ni uno solo que pertenezca a una esfera diversa. Para quien opinase que esto puede ser una especie de esquema fijo del ardor amoroso, dividido en dos, en metáforas que combinen tierra y fuego, se podría encontrar confirmación en el caso menor de Nino, en la *Hija,* que procede del lugar común del rayo que reduce el corazón en cenizas,[21] o bien en *Fiera,* la misma metáfora introducida en el molde mitológico:

PIGMALIÓN   *La vecindad de la* fragua
                de VULCANO *hará estos ecos*
                a cuyo compás descansan
                sus cíclopes, *pues al son*
                del duro ejercicio cantan:
CÍCLOPES   (Cantan dentro)
                Teman, teman los mortales,
                que se labran
                en el taller *de los* RAYOS
                de Amor las armas.
                                    Fiera, p. 1605, c. 2.

Pero, en general, el lenguaje amoroso busca para su propio objeto, las más lisonjeras articulaciones y raíces en cualquier aspecto de la naturaleza, merced a las cuales, el corazón mismo del enamorado se expande y se hace vivo y presente en todos los rincones, en todos los aspectos del cosmos. Posiblemente, el ejemplo poéticamente más perfecto sea el discurso de Cipriano en el *Mágico,* en el que en casi todos los versos encontramos signos procedentes de los cuatro elementos:

CIPRIANO   *La hermosa cuna temprana*
                del infante sol que enjuga
                lágrimas cuando madruga,
                vestido de nieve y grana;
                la verde prisión ufana

---

21. «Nino: ... es un ardiente FUEGO, / es un ABRASADO RAYO, / que sin tocar en el *cuerpo* / ha convertido en *cenizas* / el *corazón acá adentro.*», p. 734, c. 1.

de la rosa cuando avisa
que ya sus jardines pisa
abril, y entre mansos hielos
al alba es llanto en los cielos
lo que es en los campos risa;
    el detenido arroyuelo,
que el murmurar más süave
aun entre dientes no sabe,
porque se los prende el hielo:
el clavel, que en breve cielo
es estrella de coral;
el ave, que liberal
vestir matices presuma,
veloz cítara de pluma,
al órgano de cristal;
    el risco que el sol engaña
si a derretirle se atreve,
pues gastándole la nieve,
no le gasta la montaña;
el laurel, que al pie se baña
con la nieve que atropella,
y verde narciso de ella,
burla sin tener desmayos,
en esta parte los rayos,
y los hielos en aquella;
    al fin, cuna, grana, nieve,
campo, sol, arroyo, rosa,
ave que canta amorosa,
risa que aljófares llueve,
clavel que al coral[22] se atreve,
peñasco sin deshacer,
y laurel que sale a ver
si hay rayos que le coronen,
son las partes que componen
a esta divina mujer.

Mágico, II, 1798-1837, p. 628, c. 1.

Contando las repeticiones tenemos: 22 términos terrestres, 15 acuáticos, 4 aéreos y 7 ígneos, es decir:

22. Hemos corregido lo que seguramente es un error del texto: «cristal» por «coral» (cfr. Krenkel y Monteverdi).

t: cuna, grana, prisión, rosa, jardines, campos, risa, clavel, cítara, órgano, risco, montaña, laurel, pie, cuna, grana, campo, rosa, risa, clavel, peñasco, laurel;

a: lágrimas, nieve, hielos, llanto, arroyuelo, hielo, coral, cristal, nieve, narciso, hielos, nieve, arroyo, aljófares, coral;

ai: cielos, ave, pluma, ave;

f: sol, cielo, estrella, sol, rayos, sol, rayos.

El parlamento se compone métricamente de 4 décimas; las tres primeras contienen la lista de doce términos (6 en la primera; 3 en la segunda; otros 3 en la tercera); la cuarta recapitula los mismos doce términos, 7 de los cuales aparecen no glosados y 5 glosados a modo de compendio de la respectiva explicación en la lista.[23]

Es fácil calcular la distribución de los distintos términos según su pertenencia a los cuatro elementos dentro de esta compleja y articulada figura de correlación, que es una concreta imagen retórica del divino microcosmos femenino. Hemos traído este vistoso ejemplo de englobamiento de los cuatro elementos de el «mundo breve» femenino para diferenciar la visión expresiva y orgánica de Cipriano, aunque él también sea un personaje complejo de intelectual, de la visión que juega solamente con dos elementos *t f* en la declaración de Segismundo; hasta tal punto este personaje está automáticamente condicionado por su naturaleza bipolar ígneo-terrestre, aun en los momentos de abandono erótico.

Rosaura responde tratando, primero de protegerse con un verso cargado de aliteraciones:

23. La relación entre lista y resumen es la siguiente en orden:
Lista analítica:
   a (*cuna*), b (*sol*), c (*grana*), d (*rosa*), e (*campos*), f (*risa*), g (*arroyuelo*), h (*clavel*), i (*ave*), l (*risco*), m (*nieve*), n (*laurel*), m (*nieve*).
Resumen sintético:
   a' (*id.*), c' (*id.*), m' (*id*), e' (*campo*), b' (*id.*), g' (*arroyo*), d' (*id.*), i' (*id.*), f' (*id.*), l' (*peñasco*), n' (*id.*).
   Como se ha dicho, a', c', m', e', b', g', y d' se alinean en el resumen en un verso cada uno con su correspondiente explicación en la lista. Por ejemplo «ave que canta amorosa» responde a «el ave que liberal / vestir matices presuma / veloz cítara de plumas / al órgano de cristal». Hay que observar que tales glosas explicativas son contracciones al límite de la deslexicalización: por ejemplo «peñasco sin deshacer» viene de «el risco que el sol engaña / si a derretirle se atreve, / pues gastándole la nieve, / no le gasta la montaña». Como se ve cambia también el vocablo «risco» en «peñasco». Obsérvese finalmente que hay un décimo tercer término, «rayos», al final de la lista y del resumen. (Es obvio que hemos tenido presente la esquemática de la correlación en los conocidos estudios de Dámaso Alonso y Carlos Bousoño.)

117

> *Respóndate retórico el silencio:*
> [...]

> II, 635, p. 516, c. 2.

imitado también de Góngora:

> *retórico silencio que no entiende*
> 416-1613, p. 626.

en la línea barroca de hacer positivo lo negativo; lo mismo ocurre en estos otros versos de Calderón en el *Mágico*, donde el «acero» sustituye a la «lengua» en la función lingüística:

> *Y sé que en el campo, muda*
> *la lengua, el acero habla*
> *de esta suerte.*

> *Mágico*, pp. 611-612.

Más tarde, provocada por el mismo Segismundo, Rosaura se alinea sobre el mismo plano de toda la Corte, con la identificación ferina de Segismundo, ya autorizada por el rey Basilio y formulada matemáticamente por Astolfo:

> ROSAURA   [...]
> *¿Mas qué ha de hacer un hombre*
> *que de humano no tiene más que el nombre,*
> *atrevido, inhumano,*
> *cruel, soberbio, bárbaro y tirano,*
> *nacido entre las fieras?*

> II, 669-673, p. 517, c. 1.

En efecto, Segismundo se comporta en la corte como un hirsuto y salvaje jabalí en medio de una jauría de perros que lo acosa, y, sin embargo, no le gusta ahora que Rosaura se una al coro general marcándolo con la imagen de fiera o de nacido entre las fieras. A lo largo de los dos primeros actos, hemos visto que Segismundo ha sido sometido a una doble zoomorfización: es águila (en el cielo de fuego) y fiera (en la tierra); animal ígneo y animal terrestre. La primera analogía lo atrae cuanto la segunda lo ofende. Tratándose, como se ha visto, de semejanzas morales, es posible que un mismo personaje tenga a un tiempo diferentes símbolos zoo-

118

mórficos según los rasgos que se toman en consideración. Recuérdese que en la poética barroca las analogías no son simples semejanzas de A y B sino una identidad propiamente dicha, realidad única en dos aspectos distintos.

Naturalmente, Segismundo no es el único personaje cuya esencia psicológica oscila confusamente entre hombre y fiera. Aparte el hecho de que tiene en común con la Semíramis de la *Hija* la mitología del vestuario de pieles, hemos visto lo que dice Focas de su propia infancia:

> [...]
> *dudó la naturaleza*
> *si era fiera o si era hombre,*
> *y resolvió al ver que era*
> *hombre y fiera, que creciese*
> *para rey de hombres y de fieras*
>   *En esta vida*, p. 1110, c. 2.

En *La fiera, el rayo y la piedra* también encontramos una identificación de un personaje con su símbolo animalesco:

IRÍFILE   *[...] de esta montaña aborto,*
              soy fiera de esta montaña.
                      Fiera p. 1603, c. 2.

La condena sin apelación que hay en las palabras de Rosaura se expresa también con signos *t*, que, privados de cualquier intervención del cielo, ciegan cualquier resquicio de salvación y, en la ira provocada en Segismundo, muestran que han dado en el blanco. Debemos conjurar los peligros de las generalizaciones; sin embargo, no es posible no maravillarse por el hecho de que, aparte una variación de relaciones, siempre hay una parte invariable: las coordenadas *t f* que parecen correr paralelamente a toda la historia de Segismundo, sin ninguna pretensión de explicarla, pero sí de comentarla, de lejos, con plena libertad, pero como un fondo musical o como los ritmos figurativos de una escenografía comentan un film, sabiendo lo que ha sucedido y sucederá, pero guardándose de desvelarlo abiertamente, y limitándose a aludir, a sugerir, algún elemento de fondo.

Estos actos de super-hombre que desprecia toda convención, todo condicionamiento (en el parlamento a Rosaura):

119

SEGISMUNDO   *Solo por ver si puedo*
harás que pierda a tu hermosura el miedo;
que soy muy inclinado
a vencer lo imposible; hoy he arrojado
de ese balcón *a un* hombre, *que decía*
que hacerse no podía;
y así, por ver si puedo, cosa es llana
que arrojaré tu honor por la ventana.

II, 653-660, p. 517, c. 1.

son, quizá, los errores que rechazarán hacia abajo a Segismundo, hacia su prisión, a un tiempo real y terrestre. Esto es lo que parece sugerir la disminución o la desaparición en este punto de signos *f*:

ASTOLFO   *¿Pues qué esto,*
Príncipe generoso?
¿Así se mancha acero *tan brïoso*
en una sangre *helada?*
Vuelva a la vaina *tu lucida* espada.

SEGISMUNDO   *En viéndola teñida*
en esa infame sangre.

ASTOLFO   *Ya su vida*
tomó a mis pies sagrado;
[...]

II, 709-715, p. 517, c. 2.

4

Segundo despertar

Saltando varias escenas correspondientes a la trama B, al final del segundo acto volvemos a la historia de Segismundo. Con la misma brusca perpendicularidad con que lo hemos visto vestido de pieles en la prisión y luego en un lecho real entre preciosos vestidos y brocados, volvemos de golpe a la escenografía inicial.

> *Aquí le habéis de dejar*
> *pues hoy su soberbia acaba*
> *donde empezó.*
>
> II, 1033-1035, p. 521, c. 1.

es el comentario de Clotaldo.

Si el espectador barroco no podía dejar de congratularse con el dramaturgo por haber desplazado repentinamente la acción desde el escalón más bajo y aparentemente más desolado hasta el vértice más suntuoso, ahora se alegra nuevamente ante esta nueva prueba de dinamismo escénico. La acotación al texto dice:

> *Descúbrese Segismundo, como al principio, con pieles y cadena, durmiendo en el suelo.*
>
> p. 521, c. 1.

Sin embargo, algo ha cambiado, y es que ya sabemos que

121

términos como «pieles», «cadena» y «suelo» son poliseusos,
son símbolos-clave que nos indican cuál es la situación de
Segismundo, no sólo en este punto de su vivencia aparente,
sino también de su vivencia invisible, puramente lingüística, subtendida al nivel de la metáfora. Esta vez no es ni siquiera necesario que los signos terrestres asomen en sus palabras o en las ajenas; nuestros ojos captan directamente
el triple mensaje visivo. Si la reiterada escansión terrestre
parece excluir toda probabilidad de signos ígneos, entendidos
como esperanza en cielos y en posibles ascensiones, la dialéctica entre *t* y *f*, de todos modos se verifica, aunque el signo perteneciente a esta última esfera se presenta tardíamen-
te y, quizá, del modo más forzado:

UN CRIADO	*Como estaba* *la* cadena *vuelvo a atar.*
CLARÍN	*No acabes de despertar,* *Segismundo, para verte* *perder, trocada la suerte,* *siendo tu gloria fingida,* *una sombra de la vida* *y una* LLAMA *de la muerte.*
CLOTALDO	*A quien sabe discurrir* *así, es bien que se prevenga* *una* estancia *donde tenga* *harto lugar de argüir.* *Ese es el que habéis de asir* *y* en *ese* cuarto *encerrar.*

II, 1047-1048, p. 521, c. 1.

en una imagen abstracta y ultraterrena en la que el signo ígneo surge del signo totalmente negativo de la muerte: *la*
llama de la muerte, con que Clarín se prepara el salto cualitativo que dará en el tercer acto, pasando de *gracioso* a personaje implicado ya en la suerte de Segismundo; a pesar
suyo lo seguirá a la cárcel y por contagio repetirá la combinación de signos *t f*. Así como, poco antes, hemos dado una
nueva motivación al nombre de Estrella, lo mismo haremos
ahora con Clarín, usado primeramente en un doble sentido, y
luego en la oposición clarín-corneta.

CLOTALDO	*Porque ha de estar* *guardado* en *prisión tan grave,*

	Clarín *que secretos sabe,*
	donde no pueda sonar.
CLARÍN	*¿Yo, por dicha, solicito*
	dar muerte a mi padre? No.
	¿Arrojé del balcón *yo*
	al ÍCARO *de poquito?*
	¿Yo muero ni resucito?
	¿Yo sueño o duermo? ¿A qué fin
	me encierran?
CLOTALDO	*Eres* Clarín.
CLARÍN	*Pues ya digo que seré*
	corneta, y que callaré,
	que es instrumento *ruin.*

II, 1049-1050, p. 521, c. 1.

El Icaro de poquito es el criado defenestrado por Segismundo, pero refiriéndonos a su leyenda mitológica lo hemos considerado —igual que a Faetón— como formando parte de la esfera del fuego, y, por ello, se hace nombre motivado (en la esfera del fuego y en un tono hipotético-interrogativo en el parlamento de Clarín) del anónimo criado arrojado por el balcón. Ya hemos visto tal humillación y degradación de los signos ígneos en el ámbito de la derrota al sueño y al despertar de Segismundo, pero, por ahora, sólo de Segismundo, en la «llama de la muerte». Asistimos luego en función del juego de elementos que se proyectan en él, advirtiendo siempre que las indicaciones conjuntas o alternadas de signos *t f* no representan el fruto de una elección entre otros signos elementales que, en cambio, son imposibles de hallar, salvo en algún caso que expresamente hemos especificado.

SEGISMUNDO	(En sueño)
	Piadoso príncipe es
	el que castiga tiranos.
	Muera Clotaldo a mis manos,
	bese mi padre mis pies.
	[...]
	Salga a la anchutosa plaza
	del gran teatro *del* mundo
	este valor sin secundo [...]

II, 1078-1089, p. 521, c. 2.

Obsérvese la simetría paralelista de los dos bimembres:

Muera Clotaldo a mis manos,
bese mi padre mis pies.

Obsérvese otro artificio en los versos sucesivos: *El gran teatro del mundo* es, como todos saben, el título de uno de los mejores *autos* calderonianos. Escrito hacia 1645, es diez años posterior a la *Vida*, y, por ello, muestra que sus módulos metafóricos eran verdaderamente intercambiables como expresiones algebraicas. Pero aquí, injertado en el sistema elemental de Segismundo, en la terna plaza-teatro-mundo, nos muestra, desprovisto de signos *f* (podríamos decir quizá: ¿de signos nobles?), el mundo, antes de que la valía de Segismundo salga (como el sol) a darle luz y esplendor. No se olvide que quien habla ahora no es el príncipe sino el prisionero, que después de las inciertas imágenes de lo que parece un sueño, reconoce casi con afecto el lugar familiar de su realidad de recluso:

SEGISMUNDO   *¿No sois mi sepulcro vos,*
              torre? [...]

                              II, 1099-1100, p. 521, c. 2.

A estas alturas se puede empezar a prever, según el modelo del comportamiento lingüístico que llamamos segismundiano, pero que no es sólo suyo sino también de su vivencia y en consecuencia, de quienquiera que entre en contacto con él (en el contexto de la trama A), que está a punto de presentarse en la pantalla lingüística un signo *f*, no importa bajo qué forma, simple metáfora o símbolo. En efecto, aparecerá pocos versos más adelante en las palabras de Clotaldo y se tratará de un símbolo conocido cuya reiteración, aquí y más adelante, no dejaremos de subrayar. Es el signo del águila:

CLOTALDO   [...]
              Sí, hora es ya de despertar.
              ¿Todo el día te has de estar
              durmiendo? Desde que yo
              al AGUILA *que voló*
              con tarda vista seguí

> *y te quedaste tú aquí,*
> *¿nunca has despertado?*
>   II,1105-1111, p. 521, c. 2.

Recuérdese que el águila no sólo es un pájaro, en cuyo caso nos remitiría a la esfera del aire, sino también una expresión matemática de varios términos más compleja, encerrada entre paréntesis. Sustituyamos el término simple con la expresión entre paréntesis, es decir con la más compleja definición que de ella nos había dado el mismo Clotaldo:

> *...una águila caudalosa,*
> *que despreciando la esfera*
> *del viento, pasaba a ser*
> *en las regiones supremas*
> *del* FUEGO, RAYO *de pluma.*

Cuando Clotaldo y Segismundo hablan del águila se la imaginan con esta motivación y esperan que nosotros también nos la imaginemos así: como un rayo de plumas que ha dejado la despreciada esfera del aire para entrar en la esfera ígnea. Como se ve, Calderón podría haber elegido directamente un ser animado del fuego (aparte el inconveniente de tener que elegir entre un número muy reducido); en cambio, eligió un ser de otro elemento que tiende al cielo y lo conquista. Esta idea de tendencia, de adquisición violenta presta al símbolo un sentido dinámico, que ciertamente no deja de estar relacionada con la tendencia a la ascensión del espíritu de Segismundo en medida bastante mayor de cuanto no lo estaría un ser constitucionalmente ígneo. Además, si analizamos el símbolo del titán del primer acto, podremos encontrar la misma dimensión dinámica. En efecto, éste es, en cuanto gigante, un ser animado de la tierra, pero, a su modo, tiende a la esfera del sol para llevar a él el caos y la destrucción:

> *¡Ah,* CIELOS
> *que bien hacéis en quitarme*
> *la libertad; porque fuera*
> *contra vosotros gigante,*
> *que para quebrar al* SOL
> *esos vidrios y cristales,*

125

sobre cimientos *de* piedra
pusiera montes *de* jaspe!

El punto crítico de su tensión está precisamente en aquellos «vidrios y cristales» que son realmente ígneos en cuanto pertenecen al globo cristalino del sol, pero que su cólera los hace aparecer como rotos y, por lo tanto, hipotéticamente como fragmentos terrestres. Los cuatro signos *t* parecen desplegados en parejas para presentar batalla a los cielos:

cimientos-piedra
montes-jaspe

Hay en los dos símbolos —el titán y el águila— la misma tensión, la misma idea de una praxis y de un modo de hacer que, por un lado concuerdan con el ánimo del prisionero que quiere ascender, pero violando órdenes y forzando obstáculos, prefiriendo tomar rapazmente a recibir, y por otra, con la general tendencia al dinamismo del siglo. Pero todavía no hemos terminado con el águila. Segismundo recuerda lo que cree un sueño:

> *Supuesto que sueño fue,*
> *no diré lo que soñé;*
> *lo que vi, Clotaldo, sí.*
> *Yo desperté, y yo me vi*
> *¡qué crueldad tan lisonjera!*
> *en un* lecho, *que pudiera*
> *con matices y colores*
> *ser el* catre *de las* flores
> *que tejió la primavera.*
> *Aquí mil nobles rendidos*
> *a mis* pies *nombre me dieron*
> *de su Príncipe, y sirvieron*
> galas, joyas *y* vestidos.
>
> II, 1123-1135, pp. 521-522.

En este paso no hemos subrayado términos de seres terrestres como «nobles» y «Príncipe» ya que yacen en una zona del parlamento más acá del campo metafórico. Los que quedan: «lecho», «catre», «flores», «pies», son suficientes para poner en marcha una vez más el mecanismo del signo *f*, que será, de nuevo, el símbolo ya anquilosado del águila, cuya repetición por segunda vez no parece que tenga otra razón, que la de destacar la relación *t f.*

CLOTALDO   *Como habíamos hablado*
            de aquella AGUILA, *dormido,*
            tu sueño imperios *han sido;*
            [...]
                                II, 1154-1156, p. 522, c. 1.

Lo positivo y lo negativo de los signos elementales

Cuando se alza el telón en el tercer acto, vemos nuevamente el interior de la torre, y un prisionero que en un soliloquio se lamenta de su propia reclusión, pero sobre todo, de su propia soledad. Este prisionero no es Segismundo sino su doble, Clarín, que ha recorrido mucho camino desde que pisó por primera vez esta prisión, y ha escuchado el monólogo de Segismundo, hasta el punto de haber merecido convertirse en su criado y ser copartícipe de su suerte; por lo demás, es el único con el que Segismundo, al despertarse en la Corte, ha simpatizado:

SEGISMUNDO *Tú solo en tan nuevos mundos*
            me has agradado.
                                II, 351-352, p. 514, c. 1.

recibiendo de él una respuesta que contiene una deslexicalización más audaz que las que hasta ahora hemos visto: en efecto, si los nombres propios de Estrella y de Clarín simplemente son llevados nuevamente a su radical (estrella, clarín) y reintegrados de tal modo en sus respectivas familias de signos elementales, ahora nos encontramos ante un significante que no posee otro significado que el de nombre propio:

CLARÍN   *Señor*
            soy un grande agradador
            de todos los Segismundos.
                                II, 352-354, p. 514, c. 1.

Ésta es una invención verbal de Clarín que atribuye al estilema el sentido de «señor soberbio», de «potente», de «águila». Por ello, Clarín es el único que encuentra el lenguaje justo con un hombre al que todos, por el contrario, reprochan el haber crecido entre «montes» y «fieras». (No creemos que se haya llamado la atención sobre el hecho de que Segismundo debería haberse acordado de haber visto a Clarín en su propia celda algunos días antes, y de que había intentado matarlo. Pero sigamos adelante.)

En el teatro del Siglo de Oro el lenguaje culto institucionalmente se extiende a todas las zonas del drama, prescindiendo de niveles, ambientes y situaciones sociales; de este modo, el *gracioso* está en situación de metaforizar o de hacer juegos de palabras como los pueda hacer su dueño. En el tercer acto, Clarín emplea su hallazgo de la nueva motivación del nombre de Segismundo, y si en el primer ejemplo se contentó con dárnoslo en plural, aquí en cambio, lo conjuga como un verbo transitivo, y a los soldados que lo confunden con Segismundo y luego lo reprenden por el equívoco, les responde:

> *¿Yo Segismundo? Eso niego,*
> *que vosotros fuisteis quien*
> *me segismundeasteis* [...]
> III, 84-86, p. 523, c. 1.

La equivocación de los soldados, con la consiguiente segismundización de Clarín, está bien calculada por la mecánica escénica calderoniana. También lo está el monólogo inicial de Clarín, que aparece como una preciosa confirmación no sólo de la existencia del sistema de relaciones elementales puesto de relieve por nuestro análisis, sino también de su empleo plenamente consciente de los efectos:

CLARÍN   *En una encantada* torre [1]
                 por lo que sé, vivo preso.
                 ¿Qué me harán por lo que ignoro
                 si por lo que sé me han muerto?
                      III, 1-4, p. 522, c. 1.

También el conceptismo ofrece al *gracioso* sus propios

---

1. Nótese la repetición del sintagma «encantada torre» empleado al comienzo del primer acto por Rosaura (v. 83, p. 502, c. 1.).

recursos teóricos para remediar a Segismundo, junto con algunos juegos de palabras sobre su propio nombre:

> [...]
> [...] *para mí este silencio*
> *no conforma con el nombre*
> *Clarín, y callar no puedo.*
> *Quien me hace compañía*
> *aquí,* [...]
> *son* arañas *y* ratones:
> III, 10-15, p. 522, c. 1-2.

Arañas y ratones son la máxima degradación posible de las «fieras» y «brutos» segismundianos. Además de compartir la suerte de Segismundo, Clarín ha absorbido por contagio su lenguaje de signos en una polarización que representa la deformación en clave paródica de la de Segismundo, aunque con ciertas alteraciones que no carecen de una lógica propia y constituyen, por tanto, una curiosa contraprueba indirecta del sistema. En efecto, después de la degradada realidad de signo *t* del prisionero, el rescate de los signos se produce con uno de los acostumbrados signos *f* de Segismundo, y ni siquiera con la imagen de su águila que vuela como una flecha hacia la esfera de fuego, sino mediante un signo *ai* deliberadamente mínimo e inocuo, el jilguero.

> CLARÍN   [...]
> *¡miren qué dulces jilgueros!*
> III, 16, p. 522, c. 2.

Se restablece así el principio de la bipolaridad, pero en otra área y con vistosas diferencias: la primera de todas es que en Segismundo la bipolaridad se da, generalmente, entre términos genéricos: «fieras» y «aves» (todo lo más, el segundo término se especifica en «águila», reina de las aves), mientras en el parlamento de Clarín los términos son todos específicos: ratones y arañas por una parte, jilgueros por otra; esto ya constituye, en sí, una forma de desclasamiento. Otra diferencia está en las dimensiones: con respecto a los seres animados segismundianos, éstos son de dimensiones mínimas; finalmente, en sus particularidades o en relación con los animales de Segismundo, son bestias asquerosas o tremebundas o grotescas en su pequeñez. A lo que todavía se

129

puede añadir que los jilgueros no existen realmente, sino sólo como retórica contraposición a la compañía de los ratones y las arañas. Así pues, éstos representan la negación del cosmos de Segismundo por lo que respecta a los seres animados de los elementos, que además es el sector más importante ya que es el sector en que matemáticamente se reflejan y reconocen con mayor frecuencia la naturaleza y la estructura de su símbolo, y sugieren una nueva y fantástica hipótesis (que todavía hay que comprobar con la debida cautela): que en el interno de cada campo metonímico actúen signos elementales que pueden ser positivos o negativos o actuar contextualmente como tales. Lo negativo de Clarín, mero doble de Segismundo, con el cual Calderón lo hace confundir arteramente, convierte en negativo lo positivo de los signos que él pronuncia con respecto al teleologismo de seres, objetos y atributos, hacia la esfera máxima, la del fuego.

$$
t
\begin{cases}
- \ \text{arañas, ratones} \\
+ \ \text{fieras}
\end{cases}
$$

$$
ai
\begin{cases}
- \ \text{jilgueros} \\
+ \ \text{águila}
\end{cases}
$$

El águila que tiende hacia el fuego, en el simbolismo elemental de la Vida, se convierte en signo ígneo. Este principio de jerarquía gradual que tiene su vértice en la esfera de los astros puede ahora explicarnos un caso de duplicidad que hemos visto en la lista de Wilson: el caso de «cielo» perteneciente tanto a ai como a f. (Idéntico es el caso de «exhalación», que Wilson considera sólo ai, mientras nosotros hemos demostrado que es ai en el sentido de «desencadenarse el viento» y que, en cambio, es f en el de «fuego fatuo» o «estrella fugaz».)

De hecho, el elemento agua está completamente excluido del juego de las variaciones de la Vida; en cambio, en el elemento fuego no sabemos, por ahora, si también se da este tipo de ascensión interna de menos a más, sino sólo que este elemento puede ser meta de signos procedentes de la esfera del aire, y en casos excepcionales y con especiales motivaciones, también de la terrestre, como el gigante que

130

quiere trepar hasta el cielo del sol, aunque sea para quebrarlo y destruirlo. Por ello, tenemos el siguiente cuadro:

agua

tierra
$\begin{cases} - \text{ arañas, ratones} \\ + \text{ fieras} \end{cases}$

aire
$\begin{cases} - \text{ jilgueros} \\ + \text{ águila} \end{cases}$

fuego   además de todos los elementos propios, también: águila, cielo, gigante, Faetón, etc.

Trataremos de encontrar en la parte que nos queda por leer más pruebas en apoyo de este dinamismo interno, que comporta la vislumbrada posibilidad de ascenso o de descenso. Sin embargo, no podemos dejar de recordar un nítido ejemplo de contraposición interna de — y + que se refiere no a seres animados sino a seres inanimados, precisamente al comienzo del drama. Como se recordará, Rosaura describe la torre de Segismundo que aparece ante su vista:

> [...]
> *que parece a las* plantas
> *de tantas* rocas *y de* peñas *tantas*
> *que al* SOL *tocan la* LUMBRE,
> peñasco *que ha rodado de la* cumbre.

El eje vertical de la visión muestra un signo negativo, *plantas*, contrapuesto a *rocas* y *peñas*, que toman lo positivo que hay en ellas de su proximidad a la luz solar; sucesivamente, en un solo verso se encierran los extremos de una vertiginosa caída: «peñasco», negativo, y «cumbre», positivo.

Pero la polarización elemental de Segismundo no es la única cosa parodiada en Clarín; también lo es la oscilación segismundiana entre sueño y realidad:

CLARÍN   *De los sueños de esta noche*
           la triste cabeza *tengo*
           llena de mil chirimías,
           de trompetas *y embelecos,*

de procesiones, *de* cruces,
de disciplinantes; *y estos*
unos suben, otros bajan,
otros se desmayan viendo
la sangre *que llevan otros;*
mas yo, la verdad diciendo,
de no comer me desmayo;
que en esta prisión *me veo,*
[...]

III, 17-28, p. 522- 523.

Mientras Segismundo sueña el poder y la gran plaza del «teatro del mundo», el sueño de Clarín es una lúgubre procesión de signo *t*. Más adelante sigue una terna de signos *t*:

Soldado 1.° *Esta es la* torre *en que está.*
      Echad la puerta *en el* suelo.

III, 41-52, p. 523, c. 1.

Sigue el error de los soldados que confunden a Clarín con Segismundo. Sólo cuando aparece el verdadero Segismundo reaparece la habitual polarización:

Soldado 1.° [...]
      tu padre, el gran rey Basilio,
      temeroso que los CIELOS
      cumplan un hado, que dice
      que ha de verse a tus pies *puesto,*
      vencido de ti, pretende
      quitarte acción y derecho
      y dársela a Astolfo, Duque
      de Moscovia. Para esto,
      juntó su corte, *y el* vulgo,
      penetrando ya, y sabiendo
      que tiene Rey natural,
      no quiere que un extranjero
      venga a mandarle. Y así,
      haciendo noble desprecio
      de la inclemencia del hado,
      te ha buscado donde preso
      vives, para que, valido
      de sus armas, *y saliendo*
      de esta torre *a restaurar*

tu corona *y* cetro,
se la quites a un tirano.
Sal, pues; que en ese desierto
ejército *numeroso*
de bandidos *y* plebeyos
te aclama. [...]
III, 93-117, p. 523, c. 2.

Es importante observar que el «sueño» de Segismundo
tiene lugar entre el «águila caudalosa», como ejemplo de suprema generosidad, y la misma águila usada por Clotaldo
para simular la continuidad del tiempo real y calificar oníri-
camente el intervalo de la prueba. En suma, es un mero tru-
co de enganche para persuadir al príncipe discípulo de la
objetividad de su sueño. Pero el «águila» se rescata ahora implícitamente en el tercer acto como símbolo fijo del campo
f, en el momento en que Segismundo se convierte en monarca por aclamación como lo es el águila en la noble repú-
blica de los pájaros:

DENTRO   *¡Viva Segismundo, viva!*
III, 119, p. 524, c. 1.

y la materia que antes se confiaba implícitamente al símbolo, generosa majestad, poder (previsto y dispuesto por los
cielos), ya ni siquiera necesita para expresarse de la mediación visiva de la imagen, y se desembaraza de ella expre-
sándose directamente. Después de la aclamación popular, he
aquí una solicitación suprema en el vocablo «cielos»:

SEGISMUNDO   *¿Otra vez? —¡Qué es esto, cielos!*
III, 120, p. 524, c. 1.

que muestra el lazo contiguo entre voluntad popular y región superior. (Siempre hemos considerado la exclamación
¡cielos! como significativa de la raíz.) Segismundo, aclamado,
rechaza, temiendo soñar todavía «grandezas» destinadas a
esfumarse, y añade:

¿Otra vez queréis que vea
entre sombras y bosquejos
la majestad y la pompa
desvanecida del viento?

133

[...]
que no quiero majestades
fingidas, pompas no quiero,
fantásticas ilusiones
que al soplo menos ligero
del aura han de deshacerse,
bien como el florido almendro,
que, por madrugar sus flores
sin aviso y sin consejo,
al primer soplo se apagan
[...]
que, desengañado ya,
sé bien que la vida en sueño.
III, 123-156, p. 524, c. 1.

Ahora bien, el «majestad» y «majestades» están tomados del citado parlamento de Clotaldo en la escena primera del segundo acto, donde el preceptor para excitar a su discípulo le habla del «águila caudalosa; y en efecto:

Él no hubo menester más;
que, en tocando esta materia
de la majestad, *discurre*
con ambición y soberbia;
porque, en efecto, la sangre
le incita, mueve y alienta
a cosas grandes [...]

Así pues, el «águila-majestad» en la citada escena III del tercer acto se reduce a su pura esencia de «majestad», estando amenazado este gran signo *f* por todo un conjunto de elementos *aire*, polarizado en el núcleo semántico del «desengaño». Pero leamos de nuevo todo el parlamento de Segismundo:

SEGISMUNDO   *¿Otra vez —¡qué es esto,* CIELOS!—
queréis que sueñe grandezas
que ha de deshacer el tiempo?
¿Otra vez queréis que vea
entre sombras y bosquejos
la majestad y la pompa
desvanecida del viento?
¿Otra vez queréis que toque

> *el desengaño o el riesgo*
> *a que el humano poder*
> *nace humilde y vive atento?*
> *Pues ¡no ha de ser, no ha de ser*
> *mirarme otra vez sujeto*
> *a mi fortuna! Y pues sé*
> *que toda esta vida es sueño,*
> *idos, sombras, que fingís*
> *hoy a mis sentidos muertos*
> *cuerpo y voz, siendo verdad*
> *que ni tenéis voz ni cuerpo;*
> *que no quiero majestades*
> *fingidas, pompas no quiero,*
> *fantásticas ilusiones*
> *que al soplo menos ligero*
> *del aura han de deshacerse,*
> *bien como el florido almendro,*
> *que por madrugar sus flores,*
> *sin aviso y sin consejo,*
> *al primer soplo se apagan,*
> *marchitando y desluciendo*
> *de sus rosados capullos*
> *belleza, luz y ornamento.*
> *Ya os conozco, ya os conozco,*
> *y sé que os pasa lo mesmo*
> *con cualquiera que se duerme.*
> *Para mí no hay fingimientos;*
> *que, desengañado ya,*
> *sé bien que la vida es sueño.*
>
> III, 120-156, p. 524, c. 1.

Tales signos aéreo-oníricos en un campo saturado de íntima mescolanza de lo aéreo y de lo onírico son numerosos y complejos: «sueñe; deshacer; sombras; bosquejos; desvanecida; viento; desengaño; sueño; sombras; fingís; sentidos muertos; ni tenéis voz ni cuerpo (negación del signo *t*); fingidas; fantásticas; ilusiones; soplos menos ligeros; aura; primer soplo; se apagan; marchitando, desluciendo; fingimientos; desengañado; sueño».

El Soldado 2.º afirma a Segismundo la inexistencia del engaño y la realidad de su condición de monarca aclamado, y por ello, lo invita a volver sus ojos «a esos montes soberbios» donde reaparece el adjetivo «soberbio» de la escena I, acto

135

II, como binomio de «majestad» del «águila», y, por tanto, como signo positivo, cuyo contenido es la voluntad popular:

> [...]
> *la gente que aguarda en ellos*
> *para obedecerte.*
> III, 160-161, p. 524, c. 1.

La respuesta del Soldado 2.° a Segismundo, que objeta que la claridad y distinción de la visión pueden ser comunes a la realidad y al sueño, es muy importante; a través de las palabras del Soldado y el asentimiento de Segismundo, Calderón tiende a salvar en la conciencia del personaje el sueño mismo como «anuncio» de «cosas grandes», sintagma que está ligado a «águila», «majestad», «pompa» y «soberbio», de signo *f*.

Explícitamente, se dice que el sueño es un «gusto», pero que es preciso despertar «al mejor tiempo», disminuyendo el «desengaño» con la conciencia del mismo. Pero fuera de nuestro análisis queda el conjunto de prevenciones y cautelas contra un «gusto» permanente del «sueño», como prisión. Lo que nos interesa es el retorno del vocablo «cielos» en el v. 194:

> *Contra mi padre pretendo*
> *tomar armas, y sacar*
> *verdaderos a los* CIELOS.
> *Puesto he de verle a mis* plantas...
> [...]
> III, 192-195, p. 524, c. 2.

donde el signo *t* «armas» está en función de la confirmación de la verdad del signo *f* «cielos».

Obsérvese que, después de la perplejidad final de Segismundo:

> (*Mas si antes de esto despierto,*
> *¿no será bien no decirlo,*
> *supuesto que no he de hacerlo?*)
> III, 196-198, p. 524, c. 2.

la repetida aclamación:

136

Todos   *¡Viva Segismundo, viva!*
III, 199, p. 524, c. 2.

es seguida, como anteriormente en los vv. 119-120:

¿Otra vez —!qué es esto, CIELOS!—

por un verso dicho por Clotaldo con la misma exclamación final «cielos»:

¿Qué alboroto es este, CIELOS?
III, 200, p. 524, c. 2.

Más adelante, la misma exclamación se repite en boca de Segismundo en el verso 224.

¡Villano,
traidor, ingrato! (Ap. *Mas, ¡CIELOS!,*
reportarme me conviene,
que aún no sé si estoy despierto.)
III, 223-226, p. 525, c. 1.

Segismundo, como monarca racional que ha pasado por la dura prueba del «sueño», es el engarce entre la voluntad popular y la voluntad divina, la cual se presenta a los hombres como un hecho ineluctable. Segismundo accede a los ¡cielos! y a la aclamación sirviéndose del mismo «sueño» y del mismo «desengaño» en el conquistado nivel de la conciencia.

El signo del «desengaño»

La polarización segismundiana t f se ve, pues, alterada, en el tercer acto, por una irrupción de elementos ai. Tales elementos no son de naturaleza física, sino que nacen del alma, amenazando (pero enriqueciendo dialécticamente) la íntima tendencia a la esfera superior. En efecto, aéreo es por una parte el *desengaño*, el anonadamiento de lo real, y, por otra parte, la vanidad del alma, su puro amor por las vacías pompas que el monarca f debe despreciar. Esta es una prueba impuesta a los personajes del tipo y de situaciones análogas a las de Segismundo. Son tres los dramas que tratan tres

137

casos y ejemplos distintos de un mismo problema: la ascensión al poder monárquico asumida como cimiento, como piedra de toque de las supremas virtudes de sabiduría y de fuerza de ánimo que se revelan en el crisol de las vicisitudes dramáticas, mostrando si se es digno o no de un triunfo que lleva consigo, como contrapartida, pero también como una ulterior, más refinada y más sagaz prueba final, la coronación del sueño de grandeza, pero también el horror y la náusea de la misma.

SEGISMUNDO   *Pues que ya vencer aguarda*
             mi valor grandes victorias,
             hoy ha de ser la más alta
             vencerme a mí. [...]
                  III, 1068-1071, p. 533, c. 1.

Hemos aludido a la extraordinaria afinidad existente entre Segismundo y Semíramis; los mismos presagios funestos que preceden su nacimiento; la muerte viperina que ambos dan a sus madres al nacer; es más, el nacimiento de Semíramis es fruto no de uno sino de dos «homicidios», ya que su madre Arceta mata a su seductor; el mismo vaticinio de terribles desventuras:

SEMÍRAMIS   [...]
            que había de ser horror
            del mundo, y que por mí habría,
            en cuanto ilumina el sol,
            tragedias, muertes, insultos,
            ira, llanto, confusión.
                  Hija, p. 716, c. 2.

Como se ve, los rasgos comunes están todavía más marcados en Semíramis. Ambos están encerrados, pero Segismundo lo está en una torre que se convierte en caverna sólo en la clara resolución de Calderón de transformarlo, en nombre de una economía simbólica del drama, en «hombre-fiera», «hombre y fiera», «compuesto de hombre y fiera», etc; en cambio, Semíramis está efectivamente encerrada en una caverna, en un paisaje montañoso y desolado, cuyo horror aumenta por el hecho de que falta incluso el signo de la presencia humana representado por la torre-prisión de la *Vida*. Para ambos, la liberación llega bajo el signo de la lucha entre

138

hado y libre albedrío. Ambos son desenfrenados, orgullosos, violentos, animosos, sedientos de vida y de dominio sobre los demás. Finalmente, ambos acceden al suspirado poder, pero, mientras Segismundo supera la prueba (secreta) de la conciencia del desengaño y de la victoria sobre sí mismo (con una conversión cuya brusquedad tiene algo de milagroso, y sorprende al lector sin convencerlo), Semíramis, en su intacta barbarie, choca contra el hado y, al final, es vencida por él, habiendo esparcido a su alrededor lutos, y muriendo ella misma sobre el campo de batalla, mientras se le aparecen los fantasmas de los hombres cuya muerte ha provocado.

Es evidente la diferente actitud del dramaturgo ante los dos héroes; aunque —considerando sólo la línea unitaria de la parábola— haya quien podría encontrar más auténtico y más coherente consigo mismo el personaje de Semíramis, Calderón muestra en cada momento su desaprobación por ella a causa, esencialmente, de su vanidad. Esto es lo que inscribe a Semíramis en la esfera del aire. Pero mientras la polarización *t f* de la *Vida* presenta profundas ramificaciones e irradiaciones —como hemos visto— en toda la parte privilegiada que se refiere a Segismundo, la polarización *t ai* de Semíramis está concentrada en algunos puntos, en los que coinciden mito y signo, como en la citada narración de la lucha entre fieras y pájaros. En cambio, la identidad vanidad-aire se expresa con más frecuencia en la confesión directa del primer término en los parlamentos de Semíramis:

SEMÍRAMIS   [...] *a mi decoro, a mi fama,*
a mi altivez, mi soberbia,
mi ambición y mi arrogancia
conviene que sepan todos
que antes de ver que me llama
Menón su esposa, no tuvo
de mí más que confianza
de que, siéndolo, sería
suya; [...]
                                        Hija, pp. 736-737.

SEMÍRAMIS   [...] *Si el Rey quiere honrarnos,*
Menón, con mercedes tantas
no a mi presunción le quites
la vanidad de lograrlos.
                                        Hija, p. 737, c. 1.

139

SEMÍRAMIS   (Aparte)
Altiva arrogancia,
ambicioso pensamiento
de mi espíritu, descansa
de la imaginación, pues
realmente a ver alcanzas
lo que imaginaste; pero
aun todo aquesto no basta;
que para llenar mi idea
mayores triunfos me faltan.
Hija, p. 737, c. 2.

El «desengaño» de Semíramis no procede del descubrimiento de la nada que se esconde detrás de la *Vida,* sino, al contrario, de la desilusión porque la realidad no sea más rica y que los triunfos de la «vanidad» sean siempre inferiores a la «presunción»; la desilusión, en suma, porque lo real sea menos luminoso que lo imaginado y porque no consiga darle tanto como esta última.

El día en que pasa «con mucha gala» con el cortejo real entre la multitud y no ve junto a sí a su prometido Menón:

SEMÍRAMIS   (Aparte)
¿Cómo en tan célebre día
Menón falta de mis ojos?
mas ¿para qué le echo de menos,
si tantos aplausos logro
sin él? Como estos no falten
lo demás importa poco.
Hija, p. 740, c. 1.

No olvidemos el gran retorno del aire en su doble valor cósmico y ético en la muerte de Semíramis:

SEMÍRAMIS   *Hija fui del aire, ya*
en él hoy me desvanezco.
Hija, p. 787, c. 1.

En esta vida, posterior a la *Vida* y a la *Hija,* se aleja de ellas sólo porque no tiene un único gran protagonista como Segismundo y Semíramis, pero se alinea con estas obras por lo que se refiere a la fantástica peripecia monárquico-cósmica de sus estructuras elementales, constituyendo una combinación, si no una síntesis, de los dos mitos y de sus respectivos lenguajes, que inmediatamente encuentran paralelismos y, sobre todo, complemento insospechado en el nuevo drama, que con la pura simetría de sus esquematizaciones nos ofrece preciosas pruebas, confirmando, e incluso superando en audacia cualquier hipótesis; además arroja una luz más meridiana, mediante ejemplos más adecuados, sobre la compleja relación entre monarquía y «desengaño». *En esta vida* parece escrita aposta para confirmar lo positivo de los signos del fuego y lo negativo de los del aire, a menos que no se trate de signos como el águila, que tienden manifiesta y activamente, a la esfera del sol. Veremos también que a las dos distintas polarizaciones, *t ai* y *t f*, corresponde un sentido completamente diverso, si no opuesto, del concepto de la realeza.

Focas, aventurero y hombre fuera de la ley de Trinacria, cuyo cruel nacimiento e infancia ferina ya conocemos, ha usurpado —en la acción precedente al drama— el trono del emperador bizantino Mauricio, al que ha matado en combate. Al comienzo del drama lo vemos regresar a su isla natal porque ha tenido noticias de que en ella se esconde un hijo de Mauricio del que quiere desembarazarse para evitar que pueda arrebatarle el trono del que es heredero legítimo; además ha tenido noticias de que en la isla se encuentra también un hijo suyo, nacido de una campesina durante su ausencia, y al que largas aventuras bélicas le han impedido buscar antes de ahora. Encuentra a los dos, que han sido salvados, apenas recién nacidos, por la misma persona, Astolfo, vasallo de Mauricio, que los ha criado juntos sin decirles quiénes son, teniéndolos ocultos entre antros y montes de la isla,[2] por miedo a que Focas trate de matar al hijo de Mauricio y heredero de su trono. Sólo Astolfo, ya viejo, puede descubrir la identidad de los dos jóvenes, Heraclio y Leonido, pero se niega a hacerlo. Focas no puede matarlo porque, una vez muerto, desaparecería toda posibilidad de resolver el enigma. Para probar a los dos jóvenes, primero recurre a los encantamientos de un mago —el «palacio fantástico»—, luego, al no obtener pruebas definitivas, ya que todo, la verdad y la mentira, está mezclado —y éste es el *refrán* del drama, como el onírico lo es de la *Vida*—, los

2. El utilizar en la descripción de la entrada del antro la metáfora gongorina del bostezo puede hacer suponer que la misma elección de Trinacria se debe a la sugestión del *Polifemo*.

acoge a ambos en la corte y los trata como príncipes, a la espera de que, mediante alguna argucia, su hijo o el hijo de su enemigo se descubran mediante el carácter.

Detengámonos un momento aquí. Esta trama, de novela policíaca, en la que los elementos de la investigación parecen señalar, hasta casi la mitad del tercer acto, ora uno, ora otro de los dos jóvenes, nos permite el empleo de una técnica basada en los *tests* de estructuras elementales y de aptitud para la realeza. El problema de Focas es saber quién es el hijo de Mauricio, obteniendo la identidad del suyo por exclusión. Esto, sobre todo, porque ninguno de los dos jóvenes quiere creer que es hijo del monarca reinante Focas, sino del muerto y destronado Mauricio. Recuérdese que los dos jóvenes han crecido en las cavernas, como Semíramis, y van vestidos de pieles, como Semíramis y Segismundo. Dice uno de los dos:

> *No sabemos de nosotros*
> *más de que solo nos dio*
> *este monte la primera*
> *cuna, alimento el verdor*
> *de sus plantas, y este traje*
> *de sus brutos lo feroz.*
> *En esta vida*, p. 1120, c. 1.

Confiados ambos por sus respectivas madres en trance de muerte a Astolfo, de uno de ellos se dice más adelante, hacia el final del tercer acto, cuando el secreto ya ha sido desvelado (casualmente), que había sido «humana víbora; sin embargo, por el catálogo de Farinelli, sabemos lo común que es este estilema en Calderón. Al comienzo del drama, resuenan por montes y bosques —precisamente como al comienzo de la *Hija*— trompetas y tambores que celebran la llegada del rey Focas (en la *Hija*, del rey Nino). Heraclio y Leonido, que nunca han oído música, están excitados y arrebatados (como Semíramis). Escuchemos sus parlamentos:

HERACLIO   *¿Qué*
quieres, si ese horror que llena
de nuevo escándalo el aire,
tanto de mí me enajena,
tanto de mí me arrebata,

142

LEONIDO

y tanto de mí en mi fuerza,
que tras su estruendo inflamado
con no sé qué ardor intenta
ser volcán, imán de todos
mis sentidos y potencias?
¿Pero qué mucho, si habiendo
tantas veces oído en esta
soledad la dulce salva
con que al aurora despierta,
cuando, en la edad más florida
de la hermosa primavera,
con más soavidad las auras
y los cristales concuerdan
cláusulas, a cuyo blando
compás, con arpadas lenguas
las aves la bienvenida
dan a rosas y azucenas,
risa a risa, llanto a llanto,
flor a flor y perla a perla,
nunca en su métrico canto
oí música que suspenda
tanto como esta, hasta que hoy,
con la ventaja que lleva
lo sentido a lo trinado,
se entiende sin que se entienda?

En esta vida, p. 115, c. 1-2.

Nótese el campo semántico de Heraclio: «Inflamado; ardor; ser volcán; imán». Y el de Leonido: «dulce salva; auras; arpadas lenguas; las aves la bienvenida dan a las rosas; métrico canto; lo trinado». Tenemos una clarísima distinción entre dos polarizaciones, *t f* y *t ai*. Por cuanto el enigma se mantenga inextricable hasta casi el final, no podemos creer que Calderón llegue a tal punto de mistificación que sea capaz de alterar la relación secreta entre signo y destino o substancia íntima del protagonista, aquí desdoblado. Heraclio y Leonido están ante Focas, que todavía no sabe cuál de los dos jóvenes es su hijo. Como Astolfo no quiere decir quien es, Focas amenaza con matarlos a los dos (cursiva del autor):

HERACLIO

A menor costa el temor
podrá asegurarse.

143

FOCAS	*¿Cómo?*
LEONIDO	*Vengando en mí ese rencor;*
	que yo, a precio de ser hijo
	de un supremo emperador,
	daré contento la vida.
HERACLIO	*Si en él dicta la* ambición,
	en mí la verdad.
FOCAS	*¿Por qué?*
HERACLIO	*Porque yo sé que lo soy.*
FOCAS	*¿Tú lo sabes?*
HERACLIO	*Sí.*
ASTOLFO	*¿Pues quién*
	te lo ha dicho?
HERACLIO	*Mi* valor.
FOCAS	*¿Entrambos para morir*
	competís por el blasón
	de hijos de Mauricio?
LOS DOS	*Sí.*

En esta vida, p. 1121, c. 2.

Ambición o valor. Posteriormente, la firmeza de Leonido decae cuando llega a saber que puede ser hijo de Focas; se inclina ahora hacia éste e inculpa a Heraclio de haber hecho que el viento de su vanidad («aire») haya hecho arder el fuego de la ira de Focas, lo cual es un gran mal para quien era.

LEONIDO	*¿[...]*
	hijo expósito del hado,
	hallarse al viso de serlo
	de quien coronado César
	supo hacerse por sus hechos,
	para que, estimando más
	a Mauricio que a él, el fuego
	encendiese de sus iras
	el aire de sus desprecios,
	tanto que si no enviara
	en nuestro socorro el cielo
	la recluta de sus nubes,
	hubiéramos todos muerto?

En esta vida, p. 1129, c. 1.

El cielo, cuyo auxilio recuerda Leonido, es el cielo de las

144

nubes, es decir del aire. Mientras Heraclio corteja a Cintia diciéndole que siendo sus sentimientos «ciegos girasoles / es forzoso que vayan al sol siguiendo» (p. 1131, c. 1), Leonido dice a Libia que lo invita al palacio de Focas, que obedece y que le está agradecido:

LEONIDO   [...] *si considero*
           (dure o no dure la duda)
           que a vivir voy por lo menos
           este espacio en reales pompas,
           ufano, alegre y contento.
                        En esta vida, p. 1131, c. 2.

A continuación, sigue lo que ya podemos considerar como el ceremonial del cambio de los vestidos de pieles por las galas:

ISMENIA   [...]
           entrad, porque desnudándoos
           la bruta piel, tosca y basta,
           [...]
           os ordenen ricas galas,
           joyas y plumas [...]
                        En esta vida, p. 1134, c. 1.

Es la primera vez que se habla de la desvestición. En la *Vida* y en la *Hija,* esta operación se suprime por elipsis. Hemos visto a Segismundo a quien los criados ayudan a vestirse, ofreciéndole «galas, joyas y vestidos»; hemos visto a Semíramis aparecer en el cortejo real «con mucha gala». Ciertamente, la repetición de este otro signo hay que ponerlo en relación con el de la «piel» al que habíamos considerado sólo como un índice autónomo, o relacionado con «fieras», como versión figurativa de una substancia ferina inherente a cualquier título al personaje; nos toca ahora volver a examinar y recuperar el signo en el arco de una mecánica de dinamismo escénico en el que ocupa el punto de partida, y las «galas» el punto de llegada, constituyendo juntos los extremos del vertiginoso salto social realizado por estos personajes, en la evidencia de un formalismo extremista. A este respecto, recordamos la confusión de Rosaura entre vestidos y persona[3] en su parlamento a Segismundo en el acto III; también Cipriano en el *Mágico*, habiéndose enamorado de Justina, deja sus ropas de «estudiante» y dice a los criados que le traigan «galas, espada y plumas», porque el amor necesita vestidos espléndidos; luego, habiendo resultado vana su traición a sí mismo y a su mundo de estudios, dirá: «por parecer otro hombre / me engañé con el vestido».

El desdoblamiento de la figura del héroe en *En esta vida* nos muestra con una evidencia paradigmática un príncipe semejante a Semíramis por la influencia del aire, de la vanidad y de la vacía pompa, dispuesto a sacrificar en el altar de la ambición, y un príncipe de signo ígneo, como Segismundo, mejor dicho, como siempre habría sido Segismundo si la fuerza y la sabiduría naturales de su ánimo no hubiese sido puestas tan estúpidamente a dura prueba por el error paterno. He aquí como habla Heraclio, al saber que es hijo de Mauricio:

HERACLIO   [...]
                [...] *no importa que el invicto*
                laurel que me toca, goce,
                tanto como haber sabido
                la sangre que arde en mis venas,
                bien que ahora está el fuego tibio.
                           En esta vida, p. 1141, c. 1.

La actitud de los dos príncipes ante el poder está ejemplarmente compendiada en sus divergencias:

LEONIDO   (Aparte)
              Y pues en mí no hay más ley
              ni más razón ni más juicio
              que desear reinar, quisiera
              para poder conseguirlo...
HERACLIO   (Idem)
              Y pues no hay más ambición
              en mí, ni deseo más digno
              que el de ser quien soy, dejemos
              lo demás de mi designio

3. Cfr. pp. 49-50.

al Cielo, que él volverá
por su causa.

En esta vida, p. 1141, c. 1-2.

Cuanto más se esfuerza Leonido por obtener el poder,
más se le escapa éste; por el contrario, Heraclio, cuanto más
se esfuerza en mantenerse alejado de él, tanto más se verá
llamado a ejercerlo. Escuchemos una vez más en su parlamento el «desengaño» hacia las pompas que se desvanecen
al más ligero soplo de viento:

HERACLIO   *[...] cuando miro*
que la púrpura real
el polvo la esmalta en Tiro,
y que no hay polvo que no
se desvanezca en suspiros,
siendo tan leve la pompa,
que no hay humano sentido
que ser mentira o verdad
pueda afirmar, te suplico
que más lustre no me des,
que dejarme en mi retiro
a vivir como viví,
de estas montañas vecino,
de estos brutos compañero,
ciudadano de estos riscos; [4]
que no quiero oír aplausos
de tan mañoso artificio,
que no sepa cuando son
verdaderos o fingidos.

En esta vida, p. 1144, c. 2.

El desengaño es la clave diferencial entre Heraclio y
Leonido, pero también entre Segismundo y Semíramis, y
entre lo que tiende de la tierra a la esfera del fuego en el
extremado carácter positivo de los sentimientos y del ser,
y lo que no puede llegar más allá del aire partiendo de la
tierra. Pero en esta diferencia, a los dos personajes aéreos
—Semíramis y Leonido— no les falta el consuelo, a nivel
existencial, de apetitos, desórdenes y errores que, por lo
menos, tienen el calor vital de una caracterización indivi-

4. Cfr. p. 98.

dual contra la perfección esquemática de Heraclio, a la cual veremos que se convierte Segismundo.

La basilización de Segismundo

Indisolublemente ligada a Segismundo, la polarización *t ʃ* sigue estructurando hasta el final su lenguaje y el de quien se dirije a él. Al principio de la escena IX del acto III, lo vemos marchar a la cabeza de sus soldados «vestido de pieles» —como dice la acotación—, y el parlamento, además de darnos tal mensaje iconográfico, insiste en el mito de la ferinidad, con un memorable trueque entre sustancia y diferencias superficiales, muy grato a la inteligencia barroca:[5]

SEGISMUNDO   *Si este día me viera*
             Roma en los triunfos de su edad primera,
             ¡oh, cuánto se alegrara
             viendo lograr una ocasión tan rara
             de tener una fiera
             que sus grandes ejércitos *rigiera,*
             a cuyo altivo aliento
             fuera poca conquista el FIRMAMENTO!
                                    III, 469-476, p. 527, c. 2.

El aspecto de fiera hace de Segismundo una fiera; una fiera que manda grandes ejércitos; y aquí, por una intrínseca dilatación del signo, se produce un extraño tránsito metonímico del campo semántico de la «fiera» al del «águila» con el sintagma (en forma de parcial anagrama) «altivo aliento», que encuentra un ulterior estímulo en la teología ígnea: «fuera poca conquista el firmamento». Esta sed de conquista celeste es análoga a la del «gigante», pero sin su fuerza eversiva; es más, ahora su límite es la duda y la consiguiente prudencia siempre dispuesta a humillar el vuelo, por miedo al «desengaño» y a los daños provocados por el aire.

                 Pero al vuelo abatamos,
                 espíritu; no así desvanezcamos

5. E. Tierno Galvan, *Acotaciones a la historia de la cultura occidental en la edad moderna*, Tecnos, Madrid, 1964, p. 75.

aqueste aplauso incierto,
[...]

III, 477-489, p. 527, c. 2.

En esta misma escena dos grandes signos ígneos señalan
en el parlamento de Segismundo la llegada de Rosaura a
la grupa del caballo-caos ya citado:[6]

SEGISMUNDO   *Su* LUZ *me ciega.*
          [...]
SEGISMUNDO   *El* CIELO *a mi presencia la restaura.*

III, 500-502, p. 527, c. 2.

Esta es la escena en la que Rosaura se presenta a Segismundo con traje mitad femenino mitad masculino, y le cuenta la historia de sus metamorfosis y de su vida. Nótese el
paralelismo de la «monstruosidad» del vestuario de los dos
personajes que ocupan la escena, los dos solos: el uno es
una fiera (pero también «águila»); la otra es hombre y mujer, y los argumentos de su parlamento se desdoblan en los
dos géneros: «Mujer, vengo a enternecerte... y varón, vengo
a servirte...».[7] Pero antes, Rosaura llama respetuosamente a
Segismundo «sol»; se advierte ya la proximidad de la monarquía, que todo lo ilumina desde lo alto. También Astolfo, en su homenaje a Segismundo cuando éste despierta
en la Corte, lo había llamado sol, pero luego, quizá con
malicia inconsciente, había añadido: «(que sale) de debajo
de los montes». Pero aquí es interesante ver cómo Rosaura
contamina el doble sistema de signos del monarca potencial
con su propio sistema cuádruple. Téngase presente que sólo
subrayamos los signos *t f* de Segismundo (y entre éstos,
después de repetidas comprobaciones, también subrayamos
«majestad») y no los que nos parece que pertenecen al lenguaje de Rosaura:

ROSAURA   *Generoso Segismundo,*
          cuya MAJESTAD *heroica*
          sale al día de sus hechos
          de la noche de sus sombras;
          y como el mayor PLANETA

6. Cfr. p. 43.
7. Cfr. p. 50.

que en los brazos *de la Aurora*
se restituye luciente
a las plantas *y a las* rosas,
[...]
así amanezcas al mundo,
luciente SOL *de Polonia,*
que a *una mujer infelice*
que hoy a tus plantas *se arroja*
ampares, [...]

                            III, 503-519, p. 528, c. 1.

Hemos extrapolado cuatro versos de tipo rosauriano:

[...]
y sobre mares y montes,
cuando coronado asoma,
luz esparce, rayos brilla,
cumbres baña, espumas borda;
[...]

                            III, 511-514, p. 528, c. 1.

donde, en obediencia al formalismo del número cuatro de
los elementos, reforzado por la perfecta segmentación rít-
mico-sintáctica del cuatrimembre:

luz esparce	ai
rayos brilla	f
cumbres baña	t
espumas borda	a

a «luz» se atribuye la función de representar al *ai*, dejando
la motivación *f* a un significante más fuerte como «rayos».
La acción del monarca-sol se articula y se distribuye, en tal
modo, por todas las estructuras del cosmos.

Segismundo responde invocando a los cielos:

SEGISMUNDO   (*Ap.*) (CIELOS, *si es verdad que sueño,*
              suspendedme la memoria,
              [...]

                            III, 734-736, p. 530, c. 1.

La duda entre sueño y realidad, que culminará en la sentencia del título, llegados a este punto, se ensancha y pierde

sus primitivos confines, confundiéndose con la duda entre verdad y mentira, que hemos visto actuar como motivo dominante de *En esta vida* (que presenta también la característica de un título aforístico):

SEGISMUNDO   [...] *Pues ¿tan parecidas*
a los sueños son las glorias,
que las verdaderas son
tenidas por mentirosas,
y las fingidas por ciertas?
¿Tan poco hay de unas a otras
que hay cuestión sobre saber
si lo que se ve y se goza
es mentira o es verdad?
¿Tan semejante es la copia
al original, que hay duda
en saber si es ella propia?

III, 751-762, p. 530, c. 1.

El anonadamiento de lo real lleva también consigo la duda sobre la validez de la grandeza del águila:

SEGISMUNDO   *Pues si es así, y ha de verse*
desvanecida entre sombras
la grandeza y el poder,
la majestad y la pompa,
[...]

III, 763-766, p. 530, c. 1.

Un gran signo *ai* («desvanecida entre sombras») prejuzga los signos *f* («grandeza», «poder», «majestad», «pompa»), implicándolos en la vanidad e inutilidad del vivir, y, por tanto, del actuar. Por ello, se insinúa la idea de que conviene ceder al placer. Y por otra parte, ¿no amaba Segismundo la belleza de Rosaura? ¿No había intentado poseerla después de su despertar en la corte? Le impide caer en la tentación (sin grandes luchas, por cierto) el «desengaño», triunfando fácilmente de esta última oposición:

[...] *si sé*
que es el gusto LLAMA *hermosa*
que la convierte en cenizas

cualquiera viento que sopla,
acudamos a lo eterno;
[...]

III, 791-795, p. 530, c. 2.

donde vemos, no un simple ejemplo que enriquece nuestro
ya fértil campo de signos, sino también un modelo del comportamiento elemental de la *Vida* en este tercer acto: en
efecto, tenemos siempre la bipolaridad *t f*, «llama» y «cenizas», pero acosada, amenazada por «viento», *ai*, que es, precisamente, lo que convierte en cenizas la llama. (La metáfora de la «llama hermosa» procede, seguramente, de la en-
cendida esfera quevedesca: «Esa benigna llama y elegante, /
que inspira amor, hermosa y elocuente».[8]
La alarma ordenada por Segismundo a los soldados al
final de su soliloquio remueve un elemento que hasta ahora ha estado completamente ausente en la dialéctica de sus
relaciones elementales:

SEGISMUNDO   *Al* arma *toca,*
que hoy he de dar la batalla
antes que las negras sombras
sepulten los RAYOS *de* ORO
entre verdinegras ondas.

III, 806-810, p. 530, c. 2.

Esta rarísima aparición en el parlamento de Segismundo
de un término acuático,[9] aunque sea en un contexto que,
por su sabio descriptivismo cromático, de colores fríos y
calientes alternados («negras sombras» —«rayos de oro»—
«verdinegras ondas») nos hace pensar en una precisa sugestión pictórica, puede hacer surgir la sospecha de si al final
del drama no habrá una levísima laxitud en la rigurosa polarización *t f* orgánica del personaje, después de que hemos
tenido que admitir —aunque sea circunscrita, y con una motivación especialísima y claramente localizada— una intru-
sión de signos *ai*.
La escena se cierra con una exclamación de Rosaura que
enlaza con su función y naturaleza caóticas:

8. F. de Quevedo, *Obras completas, Verso,* Aguilar, Madrid, 1952, p. 52.
9. Encontraremos otro ejemplo acuático, precisamente hacia el final, en la
comparación con el nadador incauto, III, 1004-1019, p. 532, c. 2.

Ante la inminencia de la batalla, Clarín busca un escondrijo entre las rocas para asistir a la «fiesta», como llama cínicamente al choque que está a punto de producirse. Alcanzado por una bala perdida, caerá desde lo alto a los pies de Basilio, Clotaldo y Astolfo, derrotados y en fuga, y dirá al rey, desde su cátedra de muerte, palabras que harán arrepentirse al monarca, persuadiéndolo a volver atrás y a pedir perdón a Segismundo. La crítica se ha ocupado adecuadamente de este mensaje de Clarín, sea por el impulso que da a la conclusión del drama, sea porque establece sin reservas el paso y la transformación de Clarín de *gracioso* en auténtico personaje que actúa en la esfera más próxima a Segismundo. (Wilson pone en relación la muerte de Clarín con su negativa a tomar partido, y nota como Clarín pagó al precio más alto el error de su astucia.)

Nuestro análisis, que quiere determinar una estructuración vertical del drama en todos sus planos, no puede dejar de relacionar el mensaje iconográfico de la caída de Clarín con una serie de mensajes análogos colocados en auténticos puntos estratégicos en un ritmo compositivo que abarca todo el drama; son mensajes paralelos, ordenados según un mismo vector: la caída precipitada —aunque sólo imaginada— del hipogrifo con que comienza el primer acto; luego, a mitad del segundo acto, la defenestración del criado; finalmente, al concluir el tercer acto, el desplome de Clarín herido, dan una simetría casi perfecta en cuanto a colocación de los signos, así como por analogía con el carácter violento que caracteriza a los tres casos. Este tema de las caídas o de los desplomes es otro aspecto de aquel *décalage* que hace resbalar el drama en la escenografía, pero, a su vez, es rescatado por la mescolanza entre *desengaño* y física presocrática y aristotélica, de forma que, a través del esquema alto y bajo, actúe aquí también —como con la ya estudiada distribución vertical de los elementos— aquella persuasión oculta sobre el espectador, que sospecha la admonición de aquellas caídas sin distinguirla. En efecto, los tres signos vectores están colocados a gran distancia el uno del otro, y están distribuidos con extrema precisión, y, salvo en el arranque inicial del hipogrifo, en el que el esquema puede parecer apriorístico, no deducido (pero el espectador todavía no lo sabe, pues todavía no se han producido los otros dos), los otros dos casos —la defenestración del criado y la caída de Clarín— se presentan rigurosamente deducidos de sus situaciones. Esta representación dinámica del espacio se enriquece aún más con la torre que parece un peñasco que ha rodado de la cumbre, y sobre todo, con la gran caída metonímica de Segismundo del palacio a la torre, en compensación de grandes signos ascensionales ya puestos de relieve, como el sueño del titán, los vuelos del águila y las dos ascensiones del príncipe a la cima del poder.

Sobre el vencido monarca se abate ahora, en el parlamento del hijo, un enjambre de signos *t*, ocho en sólo seis versos:

SEGISMUNDO   *En lo intricado del* monte
                    entre sus espesas ramas
                    el Rey se esconde. ¡Seguidle!
                    No quede en sus cumbres planta
                    que no examine el cuidado
                    tronco *a* tronco *y* rama *a* rama.
                                III, 949-954, p. 532, c. 1.

La mitad de estos signos se amontonan en el último verso que supera así las apretadas ternas de signos *t* que hemos visto antes. En el contexto se subraya la identidad entre signos *t* y derrota, pero ahora es Basilio el que gusta su ingrato sabor terrestre, siéndole además negados por la conciencia de su propio error aquellos desahogos y aquellas amenazas eversivas, con los que se expresaba en la cárcel el rencor de Segismundo por el abandono, o por lo que él creía abandono, del cielo y, en definitiva, su nunca renunciada tendencia al vértice ígneo. Basilio, resignado, no puede hacer otra cosa que huir o humillarse a los pies del príncipe vencedor:

                    [...]
                    sírvete de mí cautivo;
                    y tras prevenciones tantas,
                    cumpla el hado su homenaje,
                    cumpla el CIELO *su palabra.*
                                III, 967-970, p. 532, c. 1.

El «Cielo» que aquí aparece no es, por lo tanto, el cielo

que Basilio presentaba orgullosamente como fiador de sus acciones y de la condena de su hijo, como hemos visto, tanto en el primero, como en el segundo acto. Es el «cielo» que ha decretado su derrota. Este es un punto bastante importante, en el que se da una especie de cambio de santo y seña entre los dos personajes. El cielo, el fuego, después de la sumisión de Basilio, pasa a manos de Segismundo, que de aquella esfera suprema toma su propia autoridad haciéndose su intérprete y portador legítimo.

> SEGISMUNDO *Corte ilustre de Polonia,*
> *que de admiraciones tantas*
> *sois testigos, atended,*
> *que vuestro Príncipe os habla.*
> *Lo que está determinado*
> *del Cielo, y en azul tabla*
> *Dios con el dedo escribió,*
> *de quien son cifras y estampas*
> *tantos papeles azules*
> *que adornan letras doradas;*
> *nunca engaña, nunca miente,*
> *porque quien miente y engaña*
> *es quien, para usar mal de ellas,*
> *las penetra y las alcanza.*[10]
>
> III, 971-984, p. 532, c. 1-2.

Segismundo no sólo recibe su autoridad del cielo y afirma, en beneficio propio, su infalibilidad, sino que también parece haber heredado de Basilio, además del poder real, la ciencia astronómica (que él también estudió en la torre), y lo que cuenta más, el mismo gusto por un denso imaginismo basado en la concreción de abstractos sintagmas, obtenidos gracias al acoplamiento a términos celestes de atributos terrestres extraídos de la misma reserva lingüística: la de la escritura, e incluso la de la cancillería. Basilio había llamado a las esferas celestes «...libros / donde en papel de diamante, / en cuadernos de zafiro, / escribe en líneas de oro, / en caracteres distintos / el cielo nuestros sucesos, / ...». Segismundo habla de tablas azules en las que Dios escribe con el dedo, de cifras y estampas formadas por

---

10. Cfr. E. R. Curtius, *Literatura europea y Edad Media latina*, trad., Fondo de Cultura Económica, México, 1955, cap. XVI, t. 1, pp. 523-489.

papeles azules adornados de letras doradas. Así pues, la coincidencia entre los dos personajes es llevada no sólo hasta una educación idéntica para ambos en los límites de lo posible (recordemos que Segismundo ha estudiado «política» en los pájaros y fieras y que ha aprendido a medir los círculos de los astros), sino también hasta poner en sus bocas un mismo lenguaje y los mismos campos metafóricos.

Ahora que Basilio y Segismundo se nos presentan nuevamente el uno frente al otro en el desenlace del drama, y comparamos su comportamiento y su lenguaje, nos asombra la evidencia de que el eje de la *Vida* es precisamente esta pareja central con todo lo que tiene de semejante y de diverso, de actualidad y de potencialidad, de agresión y de reacción. Independientemente de la fábula del sueño, tan firmemente insertada en la obra que llega a hacer olvidar que se trata de un cuerpo heterogéneo, y de los elevados problemas que plantea en el terreno heurístico-teológico, no cabe duda de que el arco en que reposa la desnuda estructura formal del drama es su duelo, aunque alguna vez parezca que el autor lo ha perdido de vista detrás del haz de superestructuras. En esta pareja de personajes podemos reconocer aquella figura de correlación bimembre (discontinua) que Dámaso Alonso ha tomado de la literatura, «arte temporal» y ha introducido en el teatro «arte espacial», estudiándola, precisamente, en algunos dramas de Calderón (no en la *Vida*) como formas típicas de su estilización polimembre de lo real.

La pareja Segismundo-Basilio actúa sólo a distancia y disimuladamente: pero, para indicar más claramente nuestra idea deberíamos, quizàs, escribir Segismundo→Basilio, ya que todo el drama es un moverse inconscientemente del primero hacia el segundo, a pesar de que la situación en que los dos personajes se encuentran parezca indicar lo contrario. Esto nos ayuda a explicarnos por qué, cuando termina la persecución, cuando Segismundo alcanza a Basilio, el antagonismo de la pareja real entre heredero legítimo desposeído y rey legítimo, cesa de golpe. Asistimos a lo que podríamos llamar la basilización de Segismundo, pues Segismundo ya se ha convertido en Basilio, es decir, en el «basileus», como habríamos debido intuir desde hacía tiempo, dado el gran número de deslicalizaciones de personajes: Estrella, Astrea, Clarín, tal vez Rosaura por una parte, y, por otra, el carácter totalmente excepcional del nombre griego de Basilio, entre los nombres góticos y nórdicos de su Corte: Astolfo, Clotaldo y el mismo Segismundo. No sabemos si esta última convergencia entre étimo y función ha sido puesta en evidencia o no por la crítica; para nosotros es una tesela importante de nuestro mosaico; ya que no hay nada de casual en Calderón (aun cuando nos parezca rozar los abismos de la Casualidad y de lo imponderable), debemos considerar que esta convergencia ha sido perfectamente calculada ya desde el momento de la distribución de los nombres. Una vez alcanzada tal identidad lingüística, el perdón del vencedor y la paz consiguiente alejan y aquietan, como por encanto, cualquier motivo de discordia. Este es uno de los puntos más complicados para la crítica calderoniana: el misterio que sustituye al drama, con el tránsito del orden metafísico al orden providencial. Dice Farinelli: «la conversión de Segismundo, como todas las conversiones de los dramas calderonianos, sucede de improviso, como una mutación instantánea, inesperada, de toda la sustancia espiritual. De un prodigio de altivez, a un prodigio de mansedumbre».[11]

Por la imprevista inversión de las posiciones que resulta de ello, una pareja de antagonistas, de cuyo tenso e irreconciliable conflicto había nacido el drama, ahora, sin ningún anuncio previo, sin ninguna justificación válida para el buen sentido artístico o más sencillamente para el buen sentido humano, se reconcilia, o mejor dicho, llega a una especie de identificación en el lenguaje, y ésta es como veremos —en la mente de Segismundo— la garantía que se propone ofrecer al Cielo y a la Corte. Aun habiendo tomado todas las precauciones para evitarlo y para ceñirse a un estudio puramente estructuralista, es imposible no hallarse implicados en un problema que afecta a los contenidos humanos de la obra que se está examinando, como es el que, llegados a este punto, haya habido o no una traición demasiado evidente en pro de razones extraliterarias y extraestéticas.

El ballet pedestre

Hasta ahora, en cuanto nos ha sido posible, hemos hecho hablar al texto; ahora queremos también renunciar a la for-

---

11. *Op. cit.*, II, p. 275. La única y tímida defensa del providencialismo de la *Vida* se debe a M. Casella en su ensayo de introducción al vol. Calderón, *Teatro*, Sansoni, Florencia, 1936.

mulación de condenas ideológicas para confiarnos a un aparato lingüístico que nos da con la mayor exactitud, como en un electrocardiograma, la grabación del salto repentino e inversión de tendencia en que se evidencia del modo más curioso su disfunción. Tal mecanismo está constituido por sintagmas compuestos con el término «pie» o su sinónimo «plantas». Después de algunos ejemplos más genéricos, «pies» y «plantas» se convierten rápidamente, y sin posibilidad de duda, en signos lingüísticos de la humillación del monarca astrólogo y rebelde a la voluntad del cielo (en cuanto utiliza la astrología para torcer la voluntad de las estrellas).

1.   I, 46, p. 501, c. 2.

Habla Clarín a Rosaura.

> [...]
> *a pie, solos, perdidos y a esta hora*
> [...]

En el límite de lo semántico, por lo que nos interesa, indica sólo el disgusto de Rosaura y Clarín en el extravío de la hora-paisaje.

2.   I, 61-64, p. 501, c. 2.

> [...]
> *que parece, a las plantas*
> *de tantas rocas y de peñas tantas*
> *que al sol tocan la lumbre,*
> *peñasco que ha rodado de la cumbre.*

La cárcel, que parece un peñasco caído del cielo, ha sido deliberadamente querida por Basilio; es más, representa su voluntad de humillar a su hijo, transmitida a la naturaleza. Así pues, es signo premonitorio del encarnizamiento de su represión.

3.   I, 187-189, p. 503, c. 1.

Rosaura a Segismundo:

> *Si has nacido*

> *humano, baste el postrarme*
> *a tus pies para librarme.*

Condición natural del súbdito es estar a los pies del monarca; así pues, es un presentimiento de la monarquía de Segismundo, aunque Rosaura no lo sepa; Calderón oculta por ahora el elemento monárquico bajo el genérico elemento humano.

4.   I, 718-725, p. 508, c. 1.

Segismundo vaticinado astrológicamente por su padre como monarca impío y cruel:

> [...]
> *y él, de su furor llevado,*
> *entre asombros y delitos,*
> *había de poner en mí*
> *las plantas, y yo, rendido,*
> *a sus pies me había de ver*
> *—¡con qué congoja lo digo!—*
> *siendo alfombra de sus plantas*
> *las canas del rostro mío.*

En realidad, es el anuncio de la futura suerte de Basilio, en posición física y metafísica. Tres veces vemos repetido: «plantas» «pies» «plantas» en una figura retórico-estilística que representa una polarización excesiva en sentido figurativo del mero contenido semántico. Hay insistencia también como figura del castigo del padre desnaturalizado e inhumano.

5.   II, 401-402, p. 514, c. 2.

Habla Segismundo:

> *¿Quién es esta diosa humana*
> *a cuyos divinos pies*
> [...]

Los pies reaparecen aquí en un tópico madrigalesco.

6.   II, 713-714, p. 517, c. 2.

[...]
tomó a mis pies sagrado; [12]

Como anteriormente en el plano madrigalesco, aquí los pies son considerados en el plano eclesiástico-caballeresco; se convierten en figura del derecho de asilo, con un algo de realeza en Astolfo.

7.   II, 719-732, p. 518, c. 1.

Habla Segismundo al Rey:

> *Acciones vanas*
> *querer que tenga yo respeto a canas;*
> *pues aun esa podría*
> *ser que viese a mis plantas algún día:*
> [...]

La furia vindicativa de Segismundo asocia en sus amenazas las canas de Basilio a las de Clotaldo; es la primera vez que la ira de Segismundo se centra en un blanco concreto.

8.   II, 1080-1081, p. 521, c. 2.

Segismundo habla en sueños:

> *Muera Clotaldo a mis manos,*
> *bese mi padre mis pies.*

(Son dos bimembres perfectos.) Detrás de la pantalla onírica, él se señala como verdadero príncipe castigador del tirano Basilio. Compárese con el 7.: estamos siempre de parte de Segismundo, allí en la realidad, aquí en el sueño (que para Calderón tienen un contenido racional igualmente vívido).

9.   II, 1132-1134, p. 522, c. 1.

Habla Segismundo recordando su despertar en la Corte:

---

12. Recuérdese que Calderón, cuando era joven, violó el derecho de asilo, persiguiendo durante una riña al hombre que había herido a su hermano hasta dentro del convento de las Trinitarias Descalzas.

> *Aquí mil nobles rendidos*
> *a mis pies* [...]

Extensión de la pleitesía del tirano a los «nobles». Compárese con los precedentes.

10.   III, 54, p. 523, c. 1.

> *A todos nos das los pies.*

Es la fórmula con que el Soldado 1.º quiere expresar a Segismundo la sumisión del ejército, si no fuera porque, habiéndose equivocado de celda, en vez de hablar a Segismundo se dirige a Clarín.

11.   III, 62, p. 523, c. 1.

Todos los soldados corean el homenaje del Soldado 1.º del ejemplo 10.

> *Danos tus plantas.*

con la inversión gramatical de algunos elementos y la sustitución *pies-plantas*. Se insiste en el error del ejemplo 10.

12.   III, 62-65, p. 523, c. 1.

El oído de Clarín, sensible a los formalismos, capta el aspecto deshumano y grotesco de la fórmula y la devuelve con un eco burlón, mediante la simple operación de sumergirla en el significado literal.

> CLARÍN   *No puedo,*
> *porque las he menester*
> *para mí, y fuera defecto*
> *un príncipe desplantado.*

13.   III, 94-96, p. 523, c. 2.

Aquí, el Soldado, al referir la historia de la sublevación del ejército, dice que éste se ha declarado en favor de Segismundo y no de Astolfo, en quien había recaído la elección del rey Basilio,

161

> [...]
> *temeroso que los·cielos*
> *cumplan un hado, que dice*
> *que ha de verse a tus pies puesto,*
> [...]

El Soldado refiere objetivamente; sin embargo, de sus palabras se deduce por exclusión que esto es lo único que le importa a Basilio.

14.   III, 192-195, p. 524, c. 2.

Esta vez es Segismundo quien decide empuñar las armas y hacer que se cumpla el vaticinio.

> *Contra mi padre pretendo*
> *tomar armas, y sacar*
> *verdaderos a los cielos.*
> *Presto he de verle a mis plantas...*
> [...]

En otras ocasiones, Segismundo ha amenazado con hacer cumplir el vaticinio, arrebatado de ira, o durante el sueño. Ahora habla con resolución, como de un deber que cumplir. Habla como el que tiene de su parte a los «cielos» y cuyo ejecutor es; mejor dicho, como el que debe demostrar su veracidad.

15.   III, 204-205, p. 524, c. 2.

El primero en probar la severidad de Segismundo debería ser Clotaldo, que en su calidad de preceptor ha sido un instrumento de Basilio.

> [...]
> *A tus reales plantas llego,*
> *ya sé que a morir.*

Así pues, la realeza se ha escindido en dos partes, ahora contrapuestas y enemigas.

16.   III, 222-223, p. 524, c. 2.

Refiriéndose al n. 15, Clotaldo dice a Segismundo, el cual cree que se ha pasado a sus filas, que está dispuesto a seguir fiel a su padre en el choque militar que está a punto de tener lugar entre padre e hijo.

> *A tus plantas estoy puesto.*
> *Dame la muerte.*

17.   III, 232, p. 525, c. 1.

Relacionado con el 15 y el 16. Perdonado por Segismundo, Clotaldo dice, como pura fórmula de gratitud:

> *Mil veces tus plantas beso.*

18. Relacionado con los ns. 14, 15 y 16. Verdaderamente característico de la situación de Clotaldo entre la nueva y la vieja realeza, y de su apego a esta última:

> *¡Gracias a Dios que vivo a tus pies llego!*

19.   III, 517-519, p. 528, c. 1.

Rosaura cumple acto de sumisión al «generoso Segismundo» y le suplica que vengue su honor. Basta una nadería para que también una fórmula como la que estamos examinando aumente de temperatura y se coloree de acentos personales:

> [...]
> *que a una mujer infelice*
> *que hoy a tus plantas se arroja*
> *ampares,* [...]

20.   III, 719-720, p. 529, c. 2.

Relacionado con el anterior. Rosaura habla una vez más:

> [...]
> *Mujer, vengo a enternecerte*
> *cuando a tus plantas me ponga,*
> [...]

21.   III, 775-776, p. 530, c. 1.

Es éste un momento de extrema incertidumbre y de crisis para Segismundo, cuyo ánimo oscila entre el amor por Rosaura y

> [...] *la confianza*
> *con que a mis plantas se postra.*
> **[...]**

Pero el sentido de la realeza le hace considerar sagrado el gesto de quien se postra a sus pies. Así como Clotaldo a los pies de Astolfo estaba amparado por el *sagrado*, el sacro derecho de asilo, del mismo modo, Rosaura a los pies del monarca goza de derecho de asilo contra Segismundo.

22.   III, 884-887, p. 531, c. 2.

Astolfo habla a Basilio y a Clotaldo. Los tres huyen después de la victoria de Segismundo.

> *¿Quién es*
> *este infeliz soldado*
> *que a nuestros pies ha caído*
> *en sangre todo teñido?*

El infeliz soldado es Clarín. Por una extraña coincidencia cae moribundo a sus pies el primer personaje que había empleado el sintagma de los «pies». Véase ejemplo 1.

23.   III, 960-964, p. 532, c. 1.

El vaticinio anunciado y temido por Basilio se cumple. Basilio se humilla ante Segismundo, repitiendo la misma imagen del n. 4 de las canas como alfombra, que nos había alarmado con su exceso figurativo.

> **[...]**
> *ya estoy, Príncipe, a tus plantas;*
> *sea de ellas blanca alfombra*
> *esta nieve de mis canas.*
> *Pisa mi cerviz y huella*
> *mi corona* [...]

Aquí la dosis figurativa y colorista está reforzada por «nie-

164

ve», mientras la idea de la humillación se expresa con «estoy... a tus plantas», «Pisa mi cerviz» y «huella mi corona». El completo *décalage* de la realidad hacia el símbolo hace que esta realidad de los pies sobre su cabeza sea el único y exclusivo dolor de Basilio, estandarte de la derrota del viejo monarca y del padre insensato, así como durante todo el drama había sido la razón de su temor y de su angustia y, más aún, la causa misma del drama, porque por tal motivo el monarca se puso contra el hado y las estrellas.

24.   III, 1056-1060, p. 533, c. 1.

Habiéndose cumplido el hado vaticinado por las estrellas y recordado —como hemos visto— por toda una larga serie de referencias o de veladas alusiones, el motivo pedestre de la sumisión y de la humildad debería haber cesado en el n. 23. En cambio, asistimos a su sorprendente reaparición en la respuesta de Segismundo. Lo que nos sorprende no es —por supuesto— que reaparezca el sintagma sino que esto suceda con una inversión vertiginosa de los términos, ya que es Segismundo quien ahora ofrece su propio cuello a las «plantas» del rey vencido, pero desengañado:

> [...] *Señor, levanta;*
> *dame tu mano que ya*
> *que el Cielo te desengaña*
> *de que has errado del modo*
> *de vencerle, humilde aguarda*
> *mi cuello a que tú te vengues:*
> *rendido estoy a tus plantas.*

Nótese que sólo estructuralísticamente se podía aferrar este dato de los pies: este ballet pedestre en el que, con una jerarquización monárquica como mito de fondo, asistimos a la reintegración en lo absoluto después de la tentativa de diferenciarse.

Drama monárquico

La subitánea inversión de los vectores vacía el drama, por lo menos en su aspecto de duelo a distancia entre potencialidad y actualidad monárquico-barroca, permitiendo que el esquema prevalezca, desecando, y por lo tanto, entorpeciendo la fluidez vital de la acción. Considérese que tal antagonismo no es —como podía parecer— una trama menor o un motivo más en la enmarañada confusión que es la *Vida*, sino que tiene *a posteriori* (en la solución de un destino) un enorme alcance. Si tal tema forma parte de aquellas peculiaridades que se han dejado en la sombra, y que han sido calladas u olvidadas por la moderna interpretación a partir de los románticos, por su evidente inactualidad, sin embargo hay que imaginarse qué factor productivo debió de ser para los contemporáneos de Calderón, y en particular para su público. No olvidemos que, de hecho, el primer destinatario de la Vida es el «palacio».

Por otra parte, la prioridad del tema de la lucha por el vértice del poder encuentra amplia confirmación en el sorprendente material lingüístico que hemos tenido la fortuna de poner de relieve en la constancia y variación de sus fenómenos: en primer lugar, la identificación de la vicisitud segismundiana con la polarización *t f*, es decir, con la íntima dialéctica del personaje, desde la degradación de su propia prisión interior terrestre hasta las supremas cimas de la majestad, inalcanzables si no es mediante la victoria sobre sí mismo; luego, la ampliación del tema de la predestinación monárquica a otros dramas que enriquecen su casuística, pero que, además, muestran a la *Vida como* un drama que no hay que mirar solamente en modo autónomo, sino también como la parte de un sistema al que ofrece su aportación.

Todos estos motivos inducen a pensar que nos encontramos no ante un drama teológico, sino ante un drama monárquico, de un monarquismo barroco especializado, asimilado en su proyección retórica al «cielo», pero a un «cielo» que si domina largamente los signos y espacios inferiores (en nuestro caso, *t* y *ai*) es, sin embargo, relativo a éstos, incluso donde juega con las ambigüedades de las formas teológicas. El «cielo» del «fuego» es, en suma, el vértice de la dialéctica de los elementos, lo que llama y solicita a sí no sólo lo que naturalmente se mueve en su esfera, sino también lo que desde las otras esferas consigue tender hacia él. El signo *f*, vértice de la cosmogonía calderoniana, discrimina los seres animados dignos de alcanzar la cima de la jerarquía: es la prueba de los reyes. Veremos a Segismundo y a Heraclio superarla gracias a su lenguaje *t f*, mientras que Leonido y

Semíramis fracasan en el empeño por no haber sabido hacerse insensibles a la vanidad del aire. Sin embargo, esta elección no está totalmente libre de una sospecha de legitimismo, visto que Segismundo y Heraclio son descendientes legítimos del trono, mientras Leonido es hijo de un usurpador y Semíramis una aventurera, en lo cual quizás haya que ver la razón de su no saber resistir a las pompas *ai*, despreciadas por criaturas integralmente pertenecientes a *f*. Se podría establecer una especie de dicotomía nominativa entre zona bárbaro-silvestre (Leonido, Semíramis) y zona de gloria y valor humano (Heraclio, Segismundo, interpretado probablemente como «mies» o semilla del mundo).

La tesis del drama teológico se basa en dos factores:

Primero: en la continua presencia del cielo, confundido con una presencia divina, mientras nuestro análisis ha demostrado ampliamente —en sus dos versiones de cielo del fuego y de cielo del aire— su función en la dialéctica elemental del drama, incluso allí donde aparece en forma de exclamación —digamos— teológica o de sede del «fatalismo sideral»;

Segundo: el cambio tan repentino y, en apariencia, radical de Segismundo, que hace pensar —como única explicación posible— en una intervención de la voluntad divina, gracias a la cual el prisionero violento, rebelde y huraño se ha cambiado en el príncipe consciente y manso. Esta tesis de la intervención sobrenatural, que servía para explicar lo fulmíneo del cambio (y que nosotros también hemos aceptado durante un cierto tiempo, aunque al margen de nuestro análisis), se ve notablemente invalidada por la discriminación entre «cielo» y Dios, ligada a la perspectiva monárquica; es más, se podría decir que quien interviene es, precisamente, el comediógrafo con el arbitrio que ya hemos observado, cualificado esta vez en el plano negativo de la pedagogía barroca. El error radical de Basilio es absuelto con su sustitución por su hijo y la restauración de éste en su puesto natural y humano: el espectáculo del hijo que se humilla ante el padre que lo inviste y le transmite libremente la autoridad real no es tautología, sino un proceso de identidad Basilio-Segismundo (por un instante, Basilio vuelve a ser verdadero monarca y padre auténtico, purificándose de la falsa ciencia astrológica).

Hemos subrayado hasta ahora en el doble símbolo segismundiano del gigante y del águila lo que estas figuras tienen en común estructuralmente: la tendencia a *f* y la violencia implícita en el desplazamiento de signos que implica el tránsito a *f*, desde el momento en que proceden respectivamente de *t* y de *ai*. Pero ya es tiempo de poner en evidencia una grandísima diferencia que hay entre los dos; en efecto, el gigante, de cualidad titánica subdivina, a oscuras de todo, no puede tener otros impulsos que los meramente destructores, de un genérico espíritu de rebelión (insuficiencia del sentido del rescate); mientras que en el águila, el propio símbolo aparece ligado desde el principio a la conquista segura del poder y la consciencia del propio destino, y eso, ya desde el parlamento de Clotaldo,

> [...] «*Al fin eres reina*
> *de las aves, y así, a todas*
> *es justo que te prefieras*»,
> [...] [13]

y luego en el descubrimiento de su propia condición de príncipe que, por lo tanto, tiene al alcance de la mano las soñadas prerrogativas del águila. La conciencia del poder, el concretarse de aquellos «cielos» que antes, cuando los consideraba inalcanzables, había querido agredir y quebrar, son lo que separa definitivamente a nuestros ojos el águila del gigante.

Sin embargo, la ira y el resentimiento titánico siguen actuando ruinosa e irrazonablemente en él en su primer despertar en la Corte. Solo, sin nadie que le cubra las espaldas, sometido continuamente al juicio despiadado de una Corte que pretende experimentar en él, sin posibilidad de error, sus reales condiciones para reinar, fracasará en la primera prueba sin apelación que Basilio le había concedido. Pero en el tercer acto, en el nuevo encuentro entre Segismundo y la Corte que ahora está ante él después de la derrota de Basilio, las condiciones objetivas y subjetivas han cambiado por completo. En primer lugar, Segismundo conoce ahora sus fines y cuáles son los medios más adecuados para realizarlos; finalmente, a sus espaldas hay una fuerza que lo ha llevado a la victoria: el pueblo. La sublevación popular, debida a una desinteresada aversión por la injusticia, lo había sacado de la prisión cuando ya no le quedaba ninguna espe-

13. Cfr. p. 101.

ranza de ser restituido a la libertad y a la reivindicación de su estado. En los nobles términos con los que el Soldado 1.º le informa de su aclamación por parte de soldados, bandidos y plebeyos, Segismundo ve un instrumento, el pueblo, dispuesto a jugar en su favor contra Basilio y la corte de Basilio. Pero después de haber vencido, y traicionando ciertamente las esperanzas de la parte que lo había sostenido, Segismundo se apresura a poner las cosas en su sitio hablando como monarca justiciero, como «Basileus», de modo que es absolutamente imposible distinguir su lenguaje del de Basilio. Él es el imperio y el orden; por lo tanto, no puede dar curso a las amenazas del fascineroso Segismundo que ya no es, habiendo pasado a través de la sublimación del poder real (¡deseada por el Cielo con esta condición!) hasta la identificación con esta función. Segismundo pone al Cielo y a la Corte por testigos de su propia magnanimidad: el primero ya le ha dado la razón permitiendo la victoria contra su padre; ahora le toca a la segunda, que en el conflicto se había declarado toda por Basilio —excepto la irregular Rosaura—, pasar del padre al hijo. Segismundo lo obtendrá con dos pequeñas obras maestras de razón de estado. La primera es un matrimonio dinástico con su prima Estrella, que él mismo anuncia, mientras contemporáneamente, con una especie de cuadrimembración conyugal, impone a Astolfo que se case con Rosaura, que es, de las dos mujeres, la que Segismundo ha amado. La Corte es consustancial con él en el *imperium* (imagen del sol y de las estrellas) y Segismundo no puede dejar de casarse con Estrella, símbolo evidente de la Corte. Pero hay otro punto, menos profundizado, en el que se expresa el aniquilamiento final y radical del personaje Segismundo y el triunfo de la razón de estado: hubo un momento, la sublevación militar-popular que lo había llevado al poder, en que parecía que esta investidura, de tipo lopesco, si no era precisamente democrática, por lo menos la había obtenido desde abajo a través del calor de la ovación. Pero cuando el pueblo ha agotado su misión de ayudar al monarca, se queda en algo inservible, porque es un súbdito de un poder absoluto e irreversible. El carácter cortesano (aristocrático) y ciudadano del absolutismo monárquico calderoniano se revela en el comportamiento de Segismundo con el Soldado que trata de inserirse en el ámbito de los favores y dones del vencedor. Cuando éste le pregunta qué recompensa tendrá por haberlo liberado de la «torre»,

Segismundo, que ya es «águila», olvidando que él fue el beneficiario de la revuelta, la considera —sólo desde el punto de vista formal (con una formalidad que para la mentalidad absolutista de Calderón es también contenido)— como una ofensa a la majestad de Basilio, digna de ser severamente castigada, y responde:

Segismundo *La torre; y porque no salgas*
de ella nunca, hasta morir
has de estar allí con guardas:
que el traidor no es menester
siendo la traición pasada.

III, 1110-1114, p. 533, c. 2.

Es evidente que Segismundo, emperador católico, al negar la recompensa al legionario quiere diferenciarse netamente del emperador romano y pagano que deriva su poder de un Dios caduco y que funda su autoridad en el beneplácito y la ovación de sus hombres de armas a los que tiene que recompensar adecuadamente. La condena del soldado es la última soldadura que cierra la crisis de la monarquía, la garantía ofrecida por el nuevo monarca de la propia continuidad dinástica. Un gran signo t, bien conocido, reaparece al final de la obra, volviendo a abrir el ciclo del dolor y de la opresión. Su dispensador es el que al comienzo del drama hemos oído invocar con apasionados argumentos la libertad del hombre, o bien, terrestre y titánico, amenazar violentamente a los astros, es decir, al poder f. La condena pronunciada por Segismundo es saludada con aplausos por la Corte, que ve desaparecer de este modo el peligro de un poder competidor:

Basilio *Tu ingenio a todos admira.*
Astolfo *¡Qué condición tan mudada!*
Rosaura *¡Qué discreto y qué prudente!*

1116-1118, p. 533, c. 2.

Se trata de aplausos dirigidos, no ciertamente a la providencia del Cielo, sino a la habilidad de Segismundo, el cual, con tales garantías, ya ha cancelado el recuerdo del generoso titán autolesionista y deja entrever, en el castigo del empuje popular, la tranquilizadora perspectiva de una monarquía absoluta.

Si por economía de investigación crítica hemos separado el drama de la *Vida* de la esfera teológica, por ello no hemos querido negar el teologismo de la estructura ideológica, pues la autoridad absoluta del protagonista siempre está estrechamente vinculada, mejor dicho, derivada, de la zona transcendente del dios católico; sin embargo, tal zona transcendente queda implícita e inerte respecto al mundo de las figuras y de los símbolos investigados por nosotros. Por lo demás, el símbolo de Segismundo sustituye completamente a la divinidad en cuanto es «sol».

Finalmente, en el manierismo del saludo final a los espectadores, Segismundo reanuda con esquemática levedad el tema de los elementos, cuyo lenguaje ya nos es totalmente cristalino, incluso en sus omisiones; en efecto, en este parlamento final no aparece ningún signo *f*, pero ya sabemos que *f* indica una tensión hacia lo alto que en él, ya sol de la monarquía, no tiene ninguna razón de subsistir, siendo él mismo la suprema altura, ¡encarnación de *f*! Pero su triunfo no lo pone a cubierto de asechanzas y pasos en falso de la naturaleza humana; los espectros que Segismundo teme, por haberlos conocido mejor que nadie son dos: el signo aéreo de la vanidad de los sueños y el signo terrestre de la estrecha cárcel, siempre dispuestos a amenazar la inestable grandeza de la sustancia humana.

SEGISMUNDO *¿Qué os admira? ¿Qué os espanta,*
si fue mi maestro un sueño,
y estoy temiendo en mis ansias,
que he de despertar y hallarme
otra vez en mi cerrada
prisión? [...]

III, 1118-1123, p. 533, c. 2.

La estructura de lo absoluto monárquico en la alcanzàda región simbólica del fuego es completamente autónoma, y por lo tanto única y sola en sí, es decir, basada en el centro de la propia voluntad; de aquí podemos elevar el fuego como símbolo de la voluntad del *imperium* monárquico, es decir, en un común campo semántico de riesgo y de inestabilidad. Este es el motivo por el que, en el último parlamento, Segismundo responde a la Corte que no hay que maravillarse de que hubiera cambiado inesperadamente y de que se mostrase prudente. Cambio y prudencia se basan en el «sueño» como maestro («escarmiento» barroco de la ilusión de los sentidos), es decir, en la conciencia de la inestabilidad de la condición alcanzada, la cual necesita continuamente el fuego de la voluntad, con el consiguiente peligro de que el mismo sueño vuelva a ser realidad y prisión. Es conveniente observar que la peripecia dolorosa y miserable de Segismundo tuvo origen en una perversión irracional de la pedagogía monárquica del padre, y es implícito pensar que la restauración del monarca ya no correrá más riesgos, si Segismundo no repite el necio error paterno respecto a los astros. A Segismundo, insistiendo en la alcanzada realidad de su propio estado, le basta con tener en cuenta la amenaza del «sueño», una vez que ha aprendido que la felicidad humana pasa como un sueño.

Estudios sobre el barroco
de Góngora

1

El mundo fluvial de Góngora
del Renacimiento al Barroco

Don Adolfo de Castro,[1] pasando revista a todas las conjeturas, algunas de ellas insensatas, sobre los ascendientes poéticos de Góngora, termina estableciendo su descendencia de la línea Garcilaso-Herrera. El arco formado por estos tres poetas, al menos desde el punto de vista de la historia literaria, marcando tres vértices en el proceso evolutivo del Renacimiento al Barroco, es casi impecable; y decimos casi, porque después de Herrera asistimos, en realidad, a la bifurcación de esta línea del sentimiento poético en dos direcciones: Góngora y Quevedo. De modo que, si queremos comprobar las premisas de la perfecta coexistencia y rivalidad de estos dos poetas en la expresión de su mundo histórico-poético, tendremos que desandar el camino y reconocer no una, sino dos líneas paralelas de desarrollo: Garcilaso-Herrera-Quevedo (probablemente la más homogénea) y Garcilaso-Herrera-Góngora. Las integraciones introducidas por Góngora en este esquema son tan nuevas e imprevisibles que, mientras todos los otros pasos de poeta a poeta se dan con una discreta graduación, el último, de Herrera a Góngora, presenta las características de un brusco salto que hacen difícil su reconocimiento. De aquí, la variedad y fabulosidad de las hipótesis avanzadas para explicar la descendencia de Don Luis o el lugar que le corresponde en la historia lite-

---

1. *Varias observaciones sobre algunas particularidades de la poesía española,* en *Poetas líricos de los siglos XVI y XVII,* t. II, B. A. E., Madrid, 1857, p. VII.

rarıa nacional. Tales cuestiones no parecen interesar directamente a nuestro estudio —que se limita al mundo fluvial y a la higroscopia de la poesía gongorina—, pero, ya que, obviamente, un problema de sensibilidad se convierte rápidamente en problema de lenguaje, no se puede renunciar a este rastro. Éste ya nos promete algo con latinismos como *undoso*,[2] introducido por Garcilaso y recogido por Herrera en su variante de *ondoso*, que se encuentra ya en Nebrija (es sospechoso el *undoso* de la *Canc.* IV de la edición de 1582), y como aquel *argento* que en forma verbal hace su increíble aparición en uno de los versos más discutidos[3] del *Polifemo*:

> *Donde espumoso el mar siciliano*
> *el pie argenta de plata al Lilibeo...*[4]

y, finalmente, expresiones como *crespas ondas*, que Góngora toma del mismo Herrera.[5] «Evidentemente —escribe A. de Castro—, éste fue el origen del culteranismo en Góngora: perfeccionar el lenguaje poético de Garcilaso, de cuyas poesías constantemente se muestra el cisne cordobés apasionadísimo. Siempre he profesado la opinión de que Góngora sin Herrera jamás llegara a ser el Góngora del *Polifemo* y de las *Soledades*. Por otra parte, nada hay más culto, nada más *gongorino* (si se me permite la frase), que muchas de las poesías amorosas del divino Herrera.» Es útil, y más aún

2. A. Vilanova, *Las fuentes y los temas del Polifemo de G.*, C.S.I.C., Madrid, 1957, I, 477-478.
3. Ver A. Vilanova, *cit.*, p. I, 317-329. En nuestra opinión, Góngora juega ambiguamente entre el pleonasmo («lustra») y el sentido etimológico («inargenta»); ya Herrera había metaforizado el verbo por el uso técnico del arte cordobés del cuero («luna argentada»), pero Góngora es el primero que lo conjuga en modo indicativo (ver DCEC, s. v. Argento, y me remito a Cuervo).
4. Para los textos de Góngora seguimos la edición de sus obras hecha por Juan e Isabel Millé y Giménez, Aguilar, Madrid, 3.ª ed., 1951, de la cual indicamos número de orden y año de composición.
5. Es al estilo de Góngora y no al de Herrera (que sólo tiene tipos como «rico oro», «hebras de oro crespas») al que hay que referir el comienzo del soneto de Quevedo a los cabellos de Lisi (el octavo de los sonetos a Lisi, en Astrana Marín, Aguilar, Madrid, 1952, 62, y en la magnífica edición de las *Obras Completas, I, Poesía original* hecha por J. M. Blecua, Planeta, Barcelona, 1963, 496:

> *En crespa tempestad del oro undoso,*

en el que sorprendemos a Quevedo con las manos en la masa del culteranismo. Sin embargo, la técnica es la misma, pero los resultados no. (Véase el estudio de A. Parker en *Estudios a M. Pidal,* III, 952, 351 ss.).

necesario, anotar críticamente el filón cultista tradicional, pero el objetivo es liberar la imagen de Góngora como creador en absoluto. Así, el puro remontarse a Garcilaso para investigar sobre los ríos es bastante fructuoso; encontraremos abundantes ejemplos, todos ellos en una concreta dirección; he aquí el lamento de Nemoroso en la *Égloga Primera*:

> *Corrientes aguas, puras, cristalinas;*
> *árboles que os estáis mirando en ellas,*
> *verde prado de fresca sombra lleno.*[6]
>
> (vv. 239-242)

que no nos deja ninguna duda. Conocemos ya estas aguas famosas; son las *Chiare, fresche e dolci acque* (que tradujo Boscán: «*Claros y frescos ríos...*»). Veamos cómo continúa Nemoroso:

> *¿Dó están agora aquellos claros ojos*
> *que llevaban tras sí, como colgada,*
> *mi alma doquier que ellos se volvían?*
>
> (vv. 267-269)

Sigue la apasionada descripción de los miembros (¿dónde están ahora?): la blanca mano delicada; los cabellos que miraban al oro con desprecio; la columna (el cuello) que sostenía el tejado dorado. Siguiendo siempre a Petrarca, en la Égloga Segunda encontramos un adiós virgiliano:

> *Adiós, montañas; adiós, verdes prados;*
> *adiós, corrientes ríos espumosos...*
>
> (vv. 638-639)

del amante que se separa del lugar en el que su pastora llevaba a abrevar su rebaño. Y, finalmente, veamos en la misma égloga cómo empieza a desahogarse el enamorado Albano:

> *En medio del invierno está templada*
> *el agua dulce desta clara fuente,*
> *y en el verano más que nieve helada.*

---

6. Seguimos la edición garcilasiana de T. Navarro Tomas, Espasa-Calpe, Madrid, 1935.

¡Oh claras ondas, cómo veo presente,
en viéndoos, la memoria de aquel día
de que el alma temblar y arder se siente!

(vv. 1-61)

El temprano prerromanticismo petrarquiano transforma las aguas en espejo y memoria de la amada; la fuente en que se ha reflejado conserva algo de ella, poco, pero siempre algo más que la terrible ausencia; así, una delicada superstición inventa en la orilla del agua errores en los que creer, confundiendo figura e imagen reflejada, pasado y presente, ausencia y memoria. Otras veces, la mirada abarca toda la escena, coordinando sus líneas y elementos: montañas-prados-ríos o aguas-árboles-prados, cuyo dulce dibujo está sabiamente teñido de claroscuro por la yámbica euritmia de los acentos (con acertadas sustituciones trocaicas) y por las alternancias vocálicas:

vérde prádo de frésca sómbra lléno.

¿A qué geografía corresponde este paisaje? Sus sombras, su especial manera de abrirse y cerrarse, su tierno verdor y, finalmente y sobre todo, el particular sentimiento que suscita en nosotros, todo contribuye a darnos la impresión de que se trata de un paisaje del Norte de Italia o, todo lo más, de Provenza. Así pues, el endecasílabo al itálico modo, bajo su inocente aspecto de puro esquema métrico, pasa de contrabando —con más o menos inercia— no sólo un gran número de italianismos, sino esencias más penetrantes y decisivas, como la poética de la dulce enemiga y este estilizado paisaje itálico (comprendido el de Sannazaro), que en más de un poeta, como en Garcilaso, logrará superponerse al paisaje de su experiencia sensible.

No creemos posible que una versión tan delicada pudiese experimentar un sucesivo proceso de amplificación. Fernando de Herrera no fue, como sostiene G. Díaz Plaja, el amplificador de Garcilaso.[7] Su curiosidad y vocación literarias

7. «Amplificación en el estilo, que gana prosopopeya y brillantez; ensanchamiento en la temática poética, que abarca, además de los temas garcilasistas (amorosos y pastoriles), los patrióticos y religiosos; y aún ampliación en la restante actividad literaria que se ocupa en obras de crítica, biografía e historia escritas en prosa.» G. Díaz Plaja, *La poesía lírica española*, Labor, Barcelona, 1937.

le harán desandar las etapas desde Petrarca hasta los latinos, desde la intimidad de una naturaleza ya acogida en las aventuras del sentimiento, hasta su reducción a una pura ocasión oratoria.[8] Por supuesto, él parte de una preocupación radical: reconocer y saber directamente los principios y las fuentes del Renacimiento italiano. Desde el punto de vista estrictamente cultural, esta sed de información directa, de tener noticias de primera mano de las fuentes clásicas indudablemente es irreprochable y dará lugar a un fenómeno que se madura en el clasicismo nacional de Fray Luis de León y de Herrera, y estalla en toda la poesía española del siglo XVII; es decir, dará lugar a una reacción antiitaliana, pero una reacción *sui generis*, que parte del italianismo hacia las fuentes de éste para apropiarse de ellas y dirigirlas a una interpretación nacional, o más sencillamente, para llegar a una integración que permita partir en un plano de igualdad con los italianos: «...la syntaxe qui s'était précédemment modelée sur la toscane, ce qui était encore demeurer dans la tradition romane, se modéle à l'époque cultiste sur celle d'Horace et de Virgile, ce qui est essentiellement différent. Le cultisme, en la partie de ses réformes qui concerne la langue, fut donc une tentative de réaction contre la prétendue corruption du castillan et qui ne s'appuya sur l'Italie que dans l'espoir de la vaincre et de la surpasser».[9] Pero la reacción comporta dos etapas y dos significados profundamente diversos. El primer momento, que culmina con el clasicismo de Fray Luis de León y de Herrera en la segunda mitad del siglo XVI, es de revuelta autonomista y hegemónica, y tiende a la institución de una España clásica; pero la naturaleza, el paisaje, el alma en relación con este último siguen siendo convencionales en los términos de la ideología y de la retórica propios del clasicismo renacentista europeo. La naturaleza y el paisaje —digamos— reales de la pa-

---

8. «Con Herrera parece agotarse la función mediadora —técnica y temática— del italianismo... Él reconoce la superioridad de los italianos, pero intuye que no interesa la perfección formal de los ejemplares poéticos, la cual conduce a la servil imitación; en cambio, sí interesan los modos, los procedimientos para alcanzar aquella perfección. De aquí se remonta a los antiguos (que en su cultura personal son los latinos), pero para éstos —que no fueron superiores en todo a los modernos—, también repite la norma de la génesis interior: «hombres fueron como nosotros".» O. Macrì, *F. de Herrera en Studi Urbinati*, 1-2, 1950; del mismo, ver el cap. II, *Ideología*, en *Fernando de Herrera*, Gredos, Madrid, 1959, 67-117.

9. L. P. Thomas, *Le lyrisme et la preciosité cultistes en Espagne*, Helle, Niemeyer 1909, 89.

tria serán un descubrimiento de la primera mitad del siglo
XVII gongorino y barroco. Por esto, pues, Herrera, al menos
bajo este aspecto naturalista (y humano) no representa un
paso adelante, sino casi un retroceso, no obstante el ansia de
absoluta belleza que se concreta en ondas de sinfonía sonora:

> El sacro rei de ríos,
> que nuestros campos baña,
> al bello aparecer deste Luzero
> cubrió los vados fríos
> al pie de la montaña...[10]

El sacro rei de ríos es el Guadalquivir de una patria ideal
y clásica, el cual sólo con el nombre más ilustre de Betis
aparece en varias composiciones herrerianas, como por ejemplo en la Canción V[I]:

> Cubrió el sagrado Betis de florida
> púrpura y blandas esmeraldas llena
> i tiernas perlas la ribera ondosa...

en la [VIII]:

> aquí, donde 'l torcido luengo passo
> Betis al hondo mar corriente envía...

o en la ya citada Canción [V]:

> a do con alta frente
> da Betis su corriente
> llevando al mar tendida su grandeza...

y también en:

> cisnes que la corriente
> del Betis vais cortando
> el canto vuestro alçando...

En este último ejemplo se hace explícito el paso, al que

10. *Canción* (V), 121. Seguimos la edición de García de Diego, Espasa-Calpe,
Madrid, 1952.

hemos aludido, de la naturaleza o, mejor dicho, de una exquisita decoración natural —los cisnes— a la liberación del canto.

Estos ejemplos, y otros que se podrían añadir, muestran una aguda sensibilidad del poeta hacia el gran río andaluz en el que se espejea Sevilla, ciudad en la que nació y de la que nunca se alejó, pero se inscriben en una geografía meramente ideal del clasicismo recuperado; en efecto, es sustituible ya que otras veces no lo nombra o lo hace de pasada. Así en la *Elegía* X en la que nombra a siete ríos, todos ellos de remotos países: Rhin, Vístula, Nilo, Ganges, Indo, Bisalta y Danubio. Se trata de puras referencias a la geografía aludida, reexhumaciones clásicas como en la *Elegía* I desbordante de aguas y ríos retóricos: Ganges, Nilo, Duina, Ebro, Tajo, Betis, Castalia (linfa), de nuevo el Tajo y luego el Indo. Son diez ríos, seis de los cuales están condensados en el espacio de tres tercetos. Desde el punto de vista numérico es un buen récord que Góngora supera sólo en el romance a Granada *Iustre ciudad famosa* (22-1586) con doce ríos: Darro, Genil, Tormes, Henares, Dinadámar, Jaragüí, Ibero, Tajo, Duero, Hidaspe, Betis, Ganges; pero desde el punto de vista cualitativo es otra cosa, ya que en Herrera, fascinado por la tradición cultural, hay una disparidad de tratamiento demasiado evidente entre ríos ricos y ríos pobres de cultura clásica, y, entre los primeros, su predilección y respeto van a aquellos cuya lejanía les da una aureola fabulosa:

> *I si a do opresso Atlante no respira*
> *con la pesada carga, i a do suena*
> *turbado el alto Ganges, lleno d'ira,*
> *i si a do el Nilo la secreta vena*
> *derrama, i do el Duina grande y frío*
> *las tardas ondas con el cielo enfrena,*
> *no pudiere alcançar el canto mío*
> *[al menos] onrará vuestra belleza*
> *cuanto Ebro i Tajo cerca i nuestro río.*

La sonora dilación de abjetivos y aposiciones pronunciadas *ore rotundo* se convierte expeditivamente en: *Ebro i Tajo... i nuestro río»,* es decir, el Betis, cuando deja de moverse entre los tópicos de la ilustre y antigua geografía poética.

En Góngora no se da esta dependencia. Su gusto de la

experiencia sensible lo llevará a otros resultados. Si damos
una ojeada a la lista de los ríos que aparecen en sus poesías
veremos que los que representan un espacio clásico y renacentista constituyen una ínfima minoría respecto a la extraordinaria frecuencia con que aparecen los ríos nacionales,
y cómo, bastante a menudo, en la cita de los primeros, hay
una sombra de ironía o un puro nominalismo sobre el juego de la brújula. Tomemos el Ganges, que tan bien orques-
tado hemos visto en Herrera:

> *i a do suena*
> *turbado el alto Ganges, lleno d'ira...*

Góngora, en cambio, dirá:

> *no sólo se desamparen*
> *las comarcanas del Betis,*
> *más las riberas del Ganges...*
> Rom. 22-1586

Sólo hay una fugaz referencia de cerca-lejos, donde, sin
embargo, la exactitud de la denominación local —*las comar-
canas*— sugiere una intimidad que contrasta con la inde-
terminación de las riberas del Ganges

Ciertamente, en Góngora no faltan ejemplos que parecen
desmentirnos; pero el hecho de que en él puedan persistir
ciertos artificios de la vieja poesía, es decir, el hecho de
que haya un Góngora no tan nuevo, no puede más que darnos mayor luz sobre Góngora, poeta nuevo.

Las relaciones Herrera-Góngora representan, pues, un punto estratégico entre los dos siglos rivales (como símbolos de
diversos momentos del espíritu poético hispánico), e incluso el particular objetivo de nuestro estudio no puede descui-
dar en ningún momento la existencia de una problemática
vertical que puede elevar tales relaciones a la categoría de
punto de encuentro o de línea de choque entre los dos atormentados conceptos de Renacimiento y Barroco, los cuales
parece que están en juego apenas se vislumbra la más pequeña conclusión. No caeremos en el error de Miomandre [11]
—desaprobado por Alfonso Reyes—[12] de tomar en considera-

11. Francis de Miomandre, *Critiques à mi-voix: Góngora et Mallarmé*, His-
pania, París, julio-septiembre 1918.
12. A. Reyes, *Cuestiones gongorinas*, Espasa-Calpe, Madrid, 1917.

ción a Herrera sólo para poder poner de relieve cuánto se diferencia de sus contemporáneos; ¿pero tendremos que afirmar, por ello, con Milner[13] que Góngora es la última emanación del Renacimiento español? Esta última tesis confirma, evidentemente, sólo la relación de continuidad entre los dos poetas, y en esto coinciden también los estudios métricos, lexicales y sintácticos de O. Macrí sobre Herrera, y de D. Alonso sobre Góngora.[14] Pero para garantizar a nuestra investigación toda la fluidez necesaria, evitaremos anclarla, sea a la una, sea a la otra de las dos tesis, adoptando, provisionalmente, un concepto de verdad bifronte, a utilizar con la mayor cautela, ya que todo desplazamiento en la balanza podría alterar su sustancia dialéctica.

Comparando las dos visiones de Toledo, en Garcilaso y en Góngora, Dámaso Alonso estableció en una distante e inmóvil cristalización los dos puntos extremos del proceso evolutivo del Renacimiento al Barroco; pero le fue posible hacerlo, precisamente porque se trataba de puntos extremos.[15] En el caso de Herrera y de Góngora hay una maraña tan complicada de semejanzas y contrastes que desaconsejan, como poco seguro y demasiado abstracto, cualquier deseo de polarizar sus imágenes poéticas en breves muestras de versos.

Que Góngora procede del lenguaje poético anteriormente elaborado por Garcilaso y Herrera, es un hecho seguro. Veamos un ejemplo que se refiere al Guadalquivir, común a Sevilla y a Córdoba, a Herrera y a Góngora. Hemos visto que en Herrera no aparece nunca con este nombre que le dieron los árabes, sino con el nombre de la tradición más antigua, el Betis, que en la geografía clásica dio el nombre de Bética a Andalucía. Hemos visto versos como:

> a do con alta frente
> da Betis su corriente
> llevando al mar tendida su grandeza...

13. Zdilas Milner, *Góngora et Mallarmé, la connaissance de l'absolu par les mots*, en *L'esprit nouveau*, París, diciembre 1920.

14. O. Macrí, *La lingua poetica di F. Herrera (preliminari e lessico)* en *Studi Urbinati*, Año XXIX Nuova Serie B, n. 2, 1955; *La lingua poetica di F. de H. (Sintassi e metrica)*, en *Rivista di Letterature moderne*, 1955; *F. de Herrera*, Gredos, cit. D. Alonso, *Estudios y ensayos gongorinos*, Gredos, Madrid, 1955; *Poesía española*, 3.ª edición, Gredos, Madrid, 1957; *Góngora y Polifemo*, Gredos, Madrid, 1960.

15. D. Alonso, *Poesía española*, cit.

y:

> *El sacro rei de ríos*
> *que nuestros campos baña...*

Esta última imagen obsesiona a Góngora que la empleará
varias veces siempre para indicar al Guadalquivir:

> *Rey de los otros, río caudaloso...*
> Son. 226-1582

> *Tú, rey de los otros ríos*
> *que de las sierras sublimes*
> *de Segura al Océano*
> *el fértil terreno mides...*
> Rom. 14-1584

y, finalmente, en el soberbio soneto a Córdoba:

> *¡Oh excelso muro, oh torres coronadas*
> *de honor, de majestad, de gallardía!*
> *¡Oh gran río, gran rey de Andalucía,*
> *de arenas nobles, ya que no doradas!*
> Son. 244-1585

En estas tres poesías —escritas en el espacio de pocos
años— la elocución indirecta de Góngora se transforma en
elocución directa, y el *tú* introduce una afectuosa familiaridad coloquial que resta énfasis a la frase; al mismo tiempo, detrás de este pronombre, el río se consolida y se confi-
gura en auténtica persona, a cuya humanidad puede hablar
el poeta con la ilusoria certeza de ser comprendido. No en
balde se trata del Guadalquivir, a cuyas orillas la meditación
creativa debe haber llevado frecuentemente al poeta a pasear
y a buscar en el agua sorprendentes respuestas:

> *...si es verdad*
> *que las aguas tienen lengua...*
> Rom. 12-1583

Que esta costumbre coloquial nació con el río de su ciudad nos lo dicen las fechas de las tres composiciones: 1582,
1584 y 1585. Más tarde, al cabo de los años intentará reanu-

184

dar este coloquio en varias ocasiones con su tomadura de pelo al Manzanares:

> *Duélete de esa puente, Manzanares;*
> *mira que dice por ahí la gente*
> *que no eres río para media puente*
> *y que ella es puente para muchos mares...*
> Son. 254-1588

o bien:

> *Manzanares, Manzanares,*
> *vos que en todo el acuatismo*
> *Duque sois de los arroyos*
> *y Vizconde de los ríos...*
> Rom. 78-1619

y siempre al Manzanares, en el mismo romance, tocando el tema muy meridional del fracaso viril:

> *Enano sois de una puente,*
> *que pudiérais ser marido*
> *si al besalla en los tres ojos*
> *le llegarais al tobillo.*

o refiriéndose al Tajo:

> *A vos digo, señor Tajo,*
> *el de las ninfas y ninfos,*
> *boquirrubio toledano*
> *gran regador de membrillos...*
> Rom. 36-1591

En otros casos, el Tajo es considerado como un húmedo trabajo:

> *al Tajo mira en su húmedo ejercicio*
> *pintar los campos y dorar la arena...*
> Son. 250-1588

o cuando se dirige al Algualete con una burlona parodia morisca:

185

Algualete, hejo
del Señior Alah,
ha, ha, ha.
Letrilla 171-1615

En el soneto 269-1603 no es el poeta quien habla al río, sino éste, el Duero quien habla en primera persona:

De ríos soy el Duero acompañado
en estas apacibles soledades...

mientras un caso un poco marginal es el de la letrilla XXV-1612, que no consta en el manuscrito Chacón, pero sí en la edición de Vicuña y en la de Hoces, en el manuscrito Faría y Sousa y en el Barcelonés. El estribillo anuncia ya en los cuatro primeros versos el sentido de toda la poesía:

¿Arroyo, en qué ha de parar
tanto anhelar y morir,
tú por ser Guadalquivir,
Guadalquivir por ser mar;
carrillejo en acabar
sin caudales y sin nombres,
para exemplo de los hombres?

Resumamos brevemente los problemas que ha planteado esta poesía: o aceptamos el título que le impuso Hoces, «*A un Fulano de arroyo*», o habremos de seguir la opinión del manuscrito barcelonés que lo hace preceder del título (escrito por otra mano, sin embargo), «*Contra un privado*», es decir, contra un favorito; a esta última hipótesis adhiere la opinión del autor del *Escrutinio*: «Fue escrita contra don Rodrigo Calderón, en el tiempo en que más estaba en auge, y no contra un oscuro arroyuelo».[16] Esta interpretación es seguida también por Millé. (Ningún título específico en la edición de López de Vicuña, reproducida en facsímil por D. Alonso, C.S.I.C., Madrid 1963, f. 64 V, donde se lee «Carillejo».) Surge después el problema de la fecha: según Ramírez de Arellano [17] debe ser del año 1612, año en que, según Ar-

16. También en la edición de Bruselas de 1659, la letrilla lleva el título: *A don Rodrigo Calderón.*
17. *Ensayo de un Catálogo biográfico de Escritores de la Provincia y Diócesis de Córdoba*, Madrid, 1922.

tigas, Góngora debía hallarse en Madrid. El hecho es que en épocas posteriores, hasta la muerte de don Rodrigo en público patíbulo, no se puede dudar que Góngora fuera su amigo y protegido. Hay que suponer que, después del ataque de Góngora, debió producirse una reconciliación entre los dos. En política se sabe que no hay que maravillarse de nada. Comoquiera que sea, Salcedo Coronel afirma que por haber compuesto esta poesía don Luis fue a parar a la cárcel, y que al salir de ella escribió el soneto: *No más moralidades de corrientes.*

La idea del arroyuelo que se afana por crecer e hincharse, como la rana esópica, no podía dejar de tentar al lector contemporáneo del poeta para ver en él el retrato de un ambicioso sin escrúpulos que llega a lo alto partiendo de la nada, y a medida que va subiendo, va olvidando a la gente de donde proviene y que le recuerda la humildad de su origen. Pero los testimonios de toda la literatura de los siglos XVI y XVII, y no sólo de la literatura picaresca, concuerdan en afirmar que personajes de esta ralea no eran raros, y que la Corte estaba llena de ellos. ¿Por qué habría debido ser precisamente Calderón? Podía haber sido él como otros mil, salidos de humilde origen y, posiblemente, quemados al cabo de pocos años por su propia impaciencia. ¡Cuántos personajes de esta calaña debió conocer la Corte en estos años! En cambio, el único que tiene una coartada es precisamente Calderón, y esta coartada es la amistad del poeta, protegido suyo. Para desmontar la coartada hay que dejar las hipótesis dignas de crédito y dejar volar la fantasía, imaginando una enemistad y, por lo tanto, una reconciliación de la que no se tiene la menor prueba. Además, por lo que se sabe, ningún episodio de la vida de Góngora nos autoriza a considerarlo capaz de ingratitud o de doblez, cuando en todas sus relaciones literarias lo hemos visto como hombre de una pieza, orgulloso y dispuesto a responder hasta el final de cualquier amistad o enemistad comenzadas.

Si tuviésemos que elegir una interpretación, preferiríamos, en todo caso, la sugerida por Miguel Artigas,[18] el cual, partiendo de aquel verso «carrillejo en acabar» que de otro modo sería ininteligible, opina que la letrilla se dirige contra la familia Carrillo, ligada por vínculos de parentesco con los Priego, de los que Góngora era enemigo declarado. (De la

18. M. Artigas, *Don Luis de Góngora y Argote,* Madrid, 1925, p. 118.

familia Carrillo era el poeta don Luis Carrillo y Sotomayor.)
Pero a nosotros no nos importa sostener esta o aquella interpretación cuanto desvincular la letrilla de la fecha 1612 de la edición Millé. Esta fecha sólo tiene razón de ser si la composición es una sátira contra don Rodrigo Calderón; si no lo es, el problema de la fecha sigue en pie. Llegados a este punto, queremos advertir que la poesía pertenece a una curiosa serie fluvial; en efecto, en ella aparece el Guadalquivir, y además en el estribillo. Ahora bien, si miramos el espejo de las presencias fluviales en Góngora, veremos que la presencia del Guadalquivir se limita a los romances 2, 10, 14 y 15, comprendidos entre las fechas 1580 y 1584:

> 2-1580 *en la verde orilla del Guadalquivir*
> 10-1582 *que al claro Guadalquivir...*
> 14-1584 *entran dos Guadalquivires...*
> 15-1584 *que a Guadalquivir el agua...*

Así pues, en el breve espacio de un lustro, desaparece con este nombre para reaparecer con igual frecuencia como Betis. El abandono del nombre árabe tradicional por el nombre más antiguo y áulico de Betis presagia un viraje desde el gusto del recitado popular —con su correspondiente parte de dulzura y de *melos* engastada en los estribillos— hacia sus últimas consecuencias aquella densa conjugación de poesía de tipo tradicional y poesía culta. En el romance 22, del año 1586, aparece, pues, como Betis: no queremos decir que este nuevo bautismo del *gran río* traiga consigo bruscamente un cambio de ruta poética: las formas tradicionales permanecen, especialmente en los romances, y en el mismo romance 22, de nuevo, no hay más que el nombre Betis. Por ello, el cambio de Guadalquivir en Betis se debe considerar solamente como una flecha que indica la dirección de un camino. Esta es la lista completa de composiciones en que aparece el nombre de Betis:

romances:

> 22-1586 *las comarcanas del Betis...*
> 29-1590 *del Betis la arena...*
> 31-1590 *en las orillas del Betis...*
> 40-1594 *aquí, donde está el Betis...*
> 56-1605 *del sacro Betis la ninfa...*

. . . .

¿Qué es lo que pudo inducir al poeta, en el breve espacio de dos años, entre 1584 y 1586, al abandono tan neto y definitivo del nombre de Guadalquivir, mucho más sonoro y lleno de perfumes y sensaciones locales que el nombre de Betis? Parece imposible que tal cambio sea materia de evolución interna; más bien nos inclinamos a creer en un factor externo, en un factor cultural en el que no será difícil reconocer la influencia de la escuela sevillana. Sabemos poco de las relaciones entre el joven don Luis y la refinada escuela que florecía en torno a Herrera en la cercana ciudad, a orillas del mismo río Betis o Guadalquivir; pero después de 1580, cuando Góngora comenzó a componer versos, la estrella del Divino ya estaba declinando. Artigas, a propósito de una canción que considera que fue escrita por Góngora en Sevilla,[19] y que Chacón fecha en «1590», escribe: «No ésta, sino muchas veces hubo de hacer Góngora el viaje de Córdoba a Sevilla, y hay que suponer que no dejaría de rendir a alguna de sus florecientes tertulias o Academias literarias. Por ahora, sin embargo, sólo podemos asegurar que era amigo de Pacheco el pintor, y que contaba entre los sevillanos con admiradores como Arguijo y Vera. En su obra poética, sin embargo, no hay una mención de Herrera, ni una dedicatoria a Arguijo ni a Alcázar, ni a Caro ni a Rioja. Es verdad que cuando don Luis acudió, años más tarde, a un certamen sevillano, quedó poco satisfecho, y fue después Yáuregui un sevillano, su mayor enemigo.»[20]

El nombre de Herrera, aunque nunca esté citado explícitamente en la obra de Góngora, está escrito en los ríos; serán los ríos los que responderán a muchos de nuestros interrogantes sobre don Luis. El herreriano *rei de ríos* que hemos visto aparecer tres veces en la producción poética gongorina en el espacio de cuatro años, de 1582 a 1585, es un claro homenaje a Herrera; un segundo homenaje podría ser el nombre de Betis, considerado por don Luis como más idóneo para inscribir su río en el cielo de una más ilustre tradición literaria. (Si tuviéramos que registrar estos homenajes en el libro de pérdidas o en el de ganancias, verdaderamente no sabríamos en cuál de ellos hacerlo.)

Estas observaciones no se verían desmentidas, ciertamente, si en una poesía de composición más tardía no reapareciese, de improviso y fugazmente, el nombre del Guadalquivir, como ocurre, precisamente en el caso de la letrilla XXV.

19. *En una fiesta que se hizo en Sevilla a San Hermenegildo*, 286-288 (Millé y Giménez).
20. *Op. cit.*, p. 69.

Pero hasta que no se identifique con seguridad a la persona del aventurero al que Góngora pudo querer atacar bajo la forma de un río, mejor dicho de un arroyo, toda fecha es arbitraria. Quedaría el recurso del análisis estilístico, pero la discontinuidad tcnica y los retoques y reelaboraciones a que el poeta sometía sus composiciones hacen que a duras penas, con esta única ayuda, se pueda correr el riesgo de fijar un término *a quo;* pues bien, aquí no hay nada que nos impida considerar la letrilla como anterior a 1584 ó 1585.

¿Pero nos es verdaderamente desconocido el personaje? ¡Si está allí, ante nuestros ojos! El verdadero personaje es aquel *Fulano de Arroyo,* el arroyuelo ambicioso que imita en sus afanes la codicia del aventurero que quiere llegar a toda costa, pisoteando cualquier memoria afecto y decoro.

> *Hijo de una pobre fuente,*
> *nieto de una dura peña,*
> *a dos pasos los desdeña*
> *tu mal nacida corriente;*
> *si tu ambición lo consiente,*
> *¿en qué imaginas, me di?*

¿Nos encontramos ante una alegoría? Sea alegoría o metáfora no debemos olvidar que en Góngora plano real y plano imaginario alcanzan tal grado de fusión, que ya no es posible separarlos y hacerlos retroceder hasta su anterior identidad como si no hubiese pasado nada. ¿Y estamos seguros de poder señalar aquí cuál es el plano real y cuál el imaginario? ¿El poeta quiso comparar a un aventurero con un arroyuelo, o vio al arroyuelo como un aventurero? Si leemos estos versos, en los que se advierte un claro eco manriqueño:

> *¿Arroyo, en qué ha de parar*
> *tanto anhelar y morir,*
> *tú por ser Guadalquivir,*
> *Guadalquivir por ser mar...*

sentimos que en la interrogación, y más allá de toda posible ironía, resiste el eco de una real angustia, tensa en la pura línea del arco sintáctico, que nos hace difícil creer en una simple y cómoda sustitución de *a* por *a',* del elemento real por el elemento imaginario; con todas esas rimas en infinitivo en que se ensancha y destruye la breve vida de los versos (igual que las dos primeras rimas, *parar, morir,* también las otras dos *Guadalquivir, mar* se convierten en infinitivos por una misteriosa alquimia verbal, o por el infinitivo *ser* que los precede). Todo, en suma, nos lleva a la conclusión de que nos encontramos ante una meditada síntesis que empareja en la nada una afinidad de destinos y de esfuerzos: en un extremo, el curso incesante de las aguas, y en el otro, los innumerables ejemplos de arribismo y de vanidad de la sociedad contemporánea. Así, para nosotros el título exacto es precisamente *A un Fulano Arroyo,* que comprende los dos elementos, y no separa la poesía de la gran familia fluvial a la que demuestra, con claras pruebas, que pertenece.

Entre los títulos que avalan su pertenencia a tal familia, hemos visto la elocución directa, la perfecta naturalidad con que el poeta apostrofa a sus líquidos interlocutores, variando el lenguaje según la calidad o importancia de los mismos, personalizándolos en fin, y humanizándolos, con un proceso de prosopopeya que por lo menos, tiene un carácter de absoluta originalidad. En efecto, volvamos al Guadalquivir, al *gran rey de los ríos.* Góngora toma de Herrera la idea de la realeza de su río: ¿pero de qué monarquía se trata? La de Herrera es sospechosa; él dice: *El sacro rei de ríos* y habla de grandeza de modo equívoco: *llevando al mar tendida su grandeza,* en sentido físico, pero también moral, lo que armoniza con el misterioso atributo de *sacro.* Con un sincronismo de gusto clásico, el poeta sevillano mira un río de finales del siglo XVI y le presta características y dignidad sacerdotales del tiempo de la antigua Roma. La pantalla del Tíber se interpone entre el Betis y sus ojos. La desaparición en Góngora del atributo *sacro,* ciertamente es significativa, pero todavía no es suficiente para indicarnos hasta qué punto el paisaje de los ríos gongorinos es un paisaje histórico-cultural. Pero que se trata de una monarquía un poco más puesta al día en sentido moderno que la de Herrera, nos lo dice sobre todo la canción 386-1590, vv. 75-77:

> *no poque el Betis tus campiñas riega*
> *(el Betis río, y rey tan absoluto*
> *que da leyes al mar, y no tributo).*

Obsérvese que la aliteración sin dejar de ser un recurso retórico, sin embargo, aquí al menos, suelda sólidamente los dos elementos *río-rey*, como para dar también un sentido plástico a la absoluta monarquía fluvial que convierte al Betis en tema histórico, rescatándolo de las sombras de los grandes ríos del pasado para hacerlo vivir en su presente realidad. Pero otros ejemplos demuestran cómo los ríos gongorinos se han introducido en las palpitantes entrañas del tiempo a través de metáforas obtenidas de lo vivo de la realidad, que hacen de ellos un pequeño muestrario de grados y funciones sociales, además de sentimientos y ambiciones sociales, de vicios y virtudes.

La sociedad que los ríos reflejan es como una sociedad paralela, casi una versión acuática de la sociedad contemporánea al poeta, que la designa con un extraordinario neologismo de cuya importancia reveladora todavía no se ha dado cuenta, hasta ahora, la crítica, aturdida, probablemente, o acostumbrada a las ingeniosas invenciones de don Luis. Este vocablo es el *acuatismo*, que hace su apirición en el romance 78-1619:

> *Manzanares Manzanares,*
> *vos, que en todo el acuatismo*
> *Duque sois de los arroyos*
> *y Vizconde de los ríos...*

Prueba de que el *acuatismo* no es un inerte orbe acuoso, es la diferenciada humanidad de rasgos y sentimientos que el poeta atribuye a sus interlocutores, la riente vivacidad de sus relaciones, el divertimiento heráldico. Como base tradicional de formación no podemos pensar más que en vocablos humanos que designen un conjunto orgánico de personas con una mente y costumbres comunes, como *cristianismo, gentilismo, monarquismo*; la *humanidad* de este *-ismo* se añade al tema natural del latín *aquaticus*, dando lugar a este asombroso ducado acuático.

Hay en Góngora torrentes que ignoran la monarquía del mar:

> *arroyos que ignoran breves*
> *la monarquía del mar.*
>
> Rom. 85-1620

Por lo que se refiere al Esgueva:

193

> *¿Qué lleva el señor Esgueva?*
> *Yo os diré lo que lleva.*

Letrilla 121-1603

El realismo del poeta es despiadado al enumerar el sórdido catálogo de las cosas que el río se lleva consigo, pero en ese realismo hay una atención humana y poética que llena de sustancia pero al mismo tiempo rescata su sátira. La broma sigue con el soneto LIII (1603), en el que el señor Esgueva se convierte, más confianzudamente, en Esguevilla, con un sufijo diminutivo de desprecio, y enferma de opilación («Cayó enfermo Esguevilla de opilado»), con detalles como éste:

> *Vio un médico de cámara la orina,*
> *y juzgó que purgarse le conviene.*

Volveremos a encontrarlo en otro soneto con otros dos ríos, el Pisuerga y el Duero, entre las angustias de un ceremonial:

> *Jura Pisuerga a fe de caballero*
> *que de vergüenza corre colorado*
> *sólo en ver que de Esgueva acompañado*
> *ha de entrar a besar la mano al Duero.*

Son. 276-1603

ya hemos visto al Tajo:

> *A vos digo, señor Tajo,*
> *el de las ninfas y ninfos...*

Rom. 36-1591

y la galantería dedicada a la atractiva viuda de un río:

> *Señora doña puente segoviana,*
> *cuyos ojos están llorando arena,*
> *si es por el río, muy enhorabuena,*
> *aunque estáis para viuda muy galana.*

Son. 303-1609

Más sorprendentes son las ocupaciones de dos ríos cerca

de Aranjuez, donde vivía la pareja real *antes de reinar*, y de la que:

> *si jardinero el Jarama,*
> *el Tajo su alcaide es...*

Rom. 80-1620

Entre estos ríos no podía faltar con su grotesca pronunciación, un hijo de Alá:

> *Algualete, hejo*
> *del Señior Alah,*
> *ha, ha, ha,*

Letrilla 171-1615

A este pintoresco cosmos acuático pertenece, pues, con todo derecho, nuestro *Fulano de Arroyo*, junto al Betis, monarca absoluto, junto a grandes señores soberbios como el Duero, caballeros orgullosos como el Pisuerga, burgueses, viudas de buen ver, jardineros y alcaides, cristianos y moros; y entre estas diferenciadas imágenes de una jerarquía (que es también disparidad) social, la vehemencia ambiciosa de nuestro arroyo introduce otra dimensión grata al Barroco, es decir, el dinamismo individual en lucha contra los órdenes fijos de la sociedad histórica.

Bajo el impulso de este lucido divertimiento, el mismo Góngora no dejará de elegir para sí mismo un título heráldico en este almanaque de nobleza fluvial. Ocurre esto en un curioso soneto, el LXV (¿1612?), en el que las comparaciones fluviales parecen insertarse en la biografía del poeta. La verdad es que hay momentos en los que parece que Góngora haya querido sugerirnos sin ambages su mundo acuático y fluvial, o por lo menos, algunas claves para llegar hasta él. Son momentos en que parece difícil creer que no haya tenido conciencia del sentido más profundo que asumían sus palabras. Así, por ejemplo, cuando acuña el término *acuatismo*, no por gusto de una extravagancia verbal, sino para indicar un contenido poético que no podía existir antes de él, ya que estaba ligado a la forma de su especialísima ambigua sensibilidad. Así también, cuando en las cartas a su anónimo corresponsal[21] escribe que su ciudad y su

---

21. *Carta de don Luis de Góngora en respuesta de la que le escribieron* (septiembre 1613 ó 1614?), Millé 2.

renta, su mula y sus fuentes lo compensan de cualquier rivalidad poética. Como, finalmente, en el soneto 216-1582 en
la muerte de dos jóvenes señoras y hermanas cordobesas, a
las que el poeta promete convertir con su llanto:

> *que, vista esa belleza y mi gran llanto,*
> por el cielo seremos convertidos
> *en Géminis vosotras, yo en Acuario.*[22]

la misma sensación —y la misma necesidad del poeta de
confesar mediante concentraciones emblemáticas su atracción acuática— la tenemos en el soneto LXV (¿1612?) aunque sea adialécticamente, porque Góngora habiendo tenido
molestias a causa de estas confabulaciones fluviales, se muestra escarmentado:

> *No más moralidades de corrientes,*
> *bien sean de arroyuelos, bien de ríos,*
> *corran apresurados o tardíos...*[23]

hasta el punto de renunciar a su ilusorio condado:

> *que no me hizo Dios conde de Fuentes.*

Si llegados a este punto, volvemos a Herrera, la tentación
de negar una relación de continuidad, en la que concuerdan
todos los estudiosos gongorinos, es muy grande. Pero la par-
cialidad de nuestro estudio no puede generalizar, o generalizar demasiado pronto sus resultados. En realidad, lo que
hemos seguido —y todavía no demostrado por completo—
es, tal vez, el único elemento irracional que aflora en la
soberbia marquetería poética gongorina, el único subfondo
del que una misteriosa sensibilidad evoca, entre los prodi-
gados tesoros de talento y de técnica, un inexhausto sueño

22. Nótese la rima húmeda *llanto-Acuario* (así como en el último verso
el fenómeno de bimembración estudiado por D. Alonso).
23. Este soneto se relacionó con la letrilla XXV; de una alusión que se
hace a los guardias en el primer terceto: *Ministros de mi rey...* Salcedo Coronel
llega a la conclusión de que, a causa de la letrilla XXV, don Luis fue metido en la cárcel. Esto, apenas puede ser materia de conjeturas, ya que falta
absolutamente cualquier dato que apoye un hecho tan grave, que no podía pasar sin dejar huella, tanto en la producción poética, como en las noticias de
los contemporáneos —amigos, y especialmente, enemigos— de don Luis.

de aguas, de humedades, de corrientes cristales y de una oculta música de saltarinas fuentes y ruido de aguas que caen en pozos.

Pero los ejemplos que hemos traído hasta aquí —aún cuando parezcan ser más una idea fija que un *rêve*, y pertenezcan en su mayoría a la esfera de los conceptos— nos ofrecen de modo inequívoco una serie de relaciones y conexiones con el mundo de la sociedad contemporánea de la cual no existe ni siquiera la mínima traza en la temática o en la *Weltanschaaung* renacentista. Este concepto de la sociedad histórica que se hace gusto activo en la poesía, nos propone una primera línea de separación de Herrera, y podría servirnos para fines más elevados, si una tendencia cómún a Góngora y al nuevo siglo no dejase coexistir confusamente lo viejo y lo nuevo.

2

Las lágrimas barrocas

Ya que la poesía de Góngora se desborda en lágrimas
—al menos ésta es la impresión global que su lectura nos
deja— éste es un motivo más para reintegrarla en el ámbito de la tradición petrarquiana. En efecto, mientras en
todos los campos se asiste, no ya a una pura y simple revalorización del Barroco, sino —lo que es más importante—
a la definición de sus más íntimos resortes, precisamente la
crítica gongorina trata de privarlo de una de sus más auda-
ces muestras, señalando con insistencia lo que en él sobra
de formas retóricas renacentistas, que en verdad, no es poco. Pero el problema es ver si a la identidad de formas externas corresponde una forma del alma.

Tomemos, por ejemplo, las lágrimas. ¿Qué son las lágrimas? Signos externos, manifestaciones de dolor, que, por
ello, tienden, en una lírica psicológica, a identificarse con su
propia causa. El juego entre causa y efecto, que Petrarca
mantiene en un plano tiernamente ambiguo, desaparece en
los poetas italianos del siglo XVI; pasando por encima de sí
mismas las lágrimas se convierten, en su lenguaje poético,
en una figura convencional del dolor, del mismo modo que en
el lenguaje cinematográfico las ruedas de un tren en marcha representan la idea de un viaje.

En España se produce la misma involución a lo largo del

arco que va desde Garcilaso hasta Herrera.[1] En 1586, Luis Barahona de Soto, convencido de ser el poeta destinado a cantar «con mejor plectro» las aventuras de Angélica, publica un poema de imitación ariostesca: *Las lágrimas de Angélica*.[2] El título se inspira en el de Tansillo, *Le lagrime di San Pietro* (1585, póstumo), y que luego será recogido tal cual por Malherbe en sus *Larmes de Saint Pierre*.

Automáticamente, sabemos que tenemos que sustituir estas lágrimas con otros significados: peripecias, penas, y en el caso del santo, arrepentimiento y remordimiento. Nos hallamos ante un significante suavizado, que ya no retiene entre sus mallas un significado dilatado hasta el punto de indicar genéricamente cualquier tipo de sentimientos dolorosos o desagradables, así como sus respectivas ocasiones. Todo, menos auténticas lágrimas. Se trata de lágrimas ya secas y nunca derramadas, puros tropos a pestaña enjuta.

¿Cómo reaccionará a esta desvalorización objetiva el Barroco? ¿Qué hará Quevedo? ¿Qué Góngora? (¿Coincidirá la actitud de los maestros con las dos distintas poéticas del conceptismo y del culteranismo, que definen sus opuestas escuelas y que con tanta frecuencia se ven desmentidas por la realidad, que nos presenta a veces un Góngora conceptista o un Quevedo culterano?) La renovación que Quevedo lleva a cabo en los más gastados fonemas renacentistas se basa, sobre todo en el tono de la voz, que es el de una interior agresividad, perentoria y ardiente. Este poeta, que habría gustado mucho a Alfieri y Foscolo, si lo hubieran conocido, anuncia en España la reforma del soneto, desarticulando su estructura estrófica bajo los golpes de la pasión. Para hacerse una idea de la pura y desesperada violencia de su voz basta el comienzo del soneto «¡Ah de la vida! ¿Nadie me responde?»,[3] en el que parece verlo y oírlo llamar a las

1. Hemos examinado, aunque sea bajo un aspecto parcial, la línea Garcilaso-Herrera-Góngora en el estudio anterior. Sobre la "materia lagrimosa que se derrama por todo el cancionero herreriano, véase O. Macrí, *F. de Herrera, cit.*, pp. 103-104 en el capítulo *La preocupación científica*, donde se ilustra la tentativa herreriana de regenerar científicamente (fisiológicamente) los sentimientos y las pasiones ya agotados y vaciados por la tradición de los cancioneros y petrarquiana.
2. Cervantes hace salvar este libro de la quema de la biblioteca de Don Quijote. Es más, el cura hace un juego de palabras sobre estas lágrimas: «Llorárarlas yo..., si tal libro hubiera mandado quemar.»
3. «¡Ah de la vida! ¿Nadie me responde?», 2, 4. Nos referimos a la citada edición de Quevedo a cargo de Blecua, *Obras completas*, I. Indicaremos número y página correspondiente, y las primeras palabras del verso.

desnudas puertas de la existencia.[4] Es el vivo teatro de un corazón en el que se agolpan fortísimos desdenes y pasiones, orgullos y desengaños, en un tumulto viril en el que las lágrimas encuentran poco lugar. Así pues, el primer efecto de la desvalorización barroca de las lágrimas es la reacción de la *hombría*, del estoico orgullo viril, de la energía moral:

> *Desacredita, Lelio el sufrimiento*
> *blando y copioso, el llanto que derramas,*
> *y con lágrimas fáciles infamas*
> *el corazón, rindiéndole al tormento.*
> *Verdad severa enmiende el sentimiento*
> *si, varón fuerte, dura virtud amas...*

A pesar de esta *dura virtud*, enemiga de las lágrimas, éstas no desaparecen, sin embargo, del todo en la poesía quevedesca; entre las que nos han llegado reconocemos algunas de tipo elegíaco, petrarquiano, y otras de imitación gongorina, pero son lágrimas marginales, episódicas respecto a la personalidad de Quevedo.[5] Las que quedan nos ofrecen un tipo nuevo que lleva verdaderamente el sello de su poética. En efecto, si la poesía de Góngora tiene una naturaleza o una dimensión acuática, la de Quevedo nace simbólicamente bajo el signo del fuego; el verdadero contraste está aquí, no en la obscena polémica que entablan en vida ni en las etiquetas de escuela con que la crítica los ha contrapuesto; razones más profundas y absolutas dividieron fatalmente a los dos héroes barrocos, que, en términos tan distintos, expresan la inestabilidad, la incertidumbre y la inconsistencia de la vida y del mundo.

La forma poética de Quevedo está llena de vértices asaetadores; es desigual y erizada como una llama; es árida y ardiente, silba y grita sombríamente, salta, no se contenta con los contornos de las cosas, sino que quema lo que toca. La sombría fiebre de consumir, de destruir que lo anima no puede limitarse a rozar simplemente los objetos del mundo y las formas del alma: debe reducirlos a cenizas. A me-

---

4. Para una interpretación existencialista de Quevedo, véase el ensayo de P. Lain Entralgo: *Quevedo y Heidegger*, en «Jerarquía» n. 3, Pamplona, 1938.
5. Sin embargo, el título que da a su versión de las *Lamentaciones de Jeremías*, con dedicatoria de 1609, obedece al gusto del siglo XVI: *Lágrimas de Hieremías castellanas*, edición de E. M. Wilson y J. M. Blecua, Madrid, 1953.

nudo, sintiendo en sí esta cerrada violencia, el poeta se siente semejante a volcanes como el Vesubio o el Etna, recuerdos de su vida en Italia. Otras veces, esta triste familiaridad con el fuego le hace asemejarse al ave Fénix.

Vesubio:

> ¡Oh monte, emulación de mis gemidos,
> pues yo en el corazón y tú en las cuevas,
> callamos los volcanes florecidos! [6]

Etna:

> Ostentas de prodigios coronado,
> sepulcros fulminante, monte aleve,
> las hazañas del fuego y de la nieve,
> y el incendio en los yelos hospedado. [7]

Ave Fénix:

> Hago verdad la fénix en la ardiente
> llama, en que renaciendo me remuevo;
> y la virilidad del fuego pruebo. [8]

Volcanes, incendios, fuego, llamas, cenizas; [9] inflamar, quemar, arder, cocer y sus derivados son elocuente testimonio de esta obsesión: aparecen al menos en tres quintos de los sonetos de Quevedo. (Hay hasta una infracción sintáctica: Ya la insana canícula, ladrando llamas...) [10] Por ello, bastará citar al azar:

> Es hielo abrasador, es fuego helado... [11]

> Esa benigna llama y elegante
> que inspira amor, hermosa y elocuente... [12]

6. 301, 340: «Salamandra frondosa».
7. 292, 334: «Ostentas de prodigios».
8. 449, 496: «Hago verdad».
9. Al bellísimo tema del polvo enamorado alude P. Laín Entralgo en el ensayo La vida del hombre en la poesía de Quevedo, en La aventura de leer, Espasa-Calpe, Madrid 1956; véase también A. Alonso, Materia y forma en poesía, Gredos, Madrid 1955, 15-20 y 127-132.
10. 313, 348: «Ya la insana canícula».
11. 374, 387: «Es hielo abrasador».
12. 336, 361: «Esa benigna llama».

A todas partes que me vuelvo veo
las amenazas de la llama ardiente...[13]

Fuego, a quien tanto mar ha respetado...[14]

Si el abismo, en diluvios desatado,
hubiera todo el fuego consumido...[15]

exequias de su llama ennegrecida...[16]

¿No ves piramidal y sin sosiego
en esta vela arder inquieta llama
. . . .
¿No ves sonoro y animoso el fuego
arder voraz en una y otra rama...?[17]

Quiero encubrir el fuego en que me abraso...[18]

Leandro en mar de fuego proceloso...[19]

Bien entiende de llama quien la enciende...[20]

            ¿qué montañas
tu corazón inflama helado y frío?[21]

La llama de mi amor que está clavada
en el alto zenit del firmamento...[22]

Llevara yo en el alma adonde fuera
el fuego en que me abraso, y guardaría
su llama fiel en la ceniza fría
en el mismo sepulcro en que durmiese.[23]

13. 296, 336: «*A todas partes*».
14. 291, 333: «*Fuego, a quien*».
15. 298, 338: «*Si el abismo*».
16. 308, 344: «*La lumbre que murió*».
17. 344, 369: «*¿No ves piramidal?*».
18. 485, 521: «*Amor me ocupa*».
19. 448, 496: «*En crespa tempestad*».
20. 450, 497: «*¿Cómo es tan largo?*».
21. 454, 500: «*¿De cuál feral?*».
22. 457, 502: «*Por ser mayor*».
23. 459, 503: «*Si hija de mi amor*».

En este incendio hermoso que, partido
en dos esferas breves, fulminando
reina glorioso...[24]

Esta víbora ardiente, que enlazada...[25]

Yo solo, ¡oh Lisi!, a pena destinado,
. . . .
ardo en la nieve y yélome abrasado.[26]

De aquella vista que me abrasa pura,
donde, ardiendo, con flechas y arco mueres.[27]

Así pues, con este encendido centro de su poética es con quien deben ajustar cuentas las lágrimas quevedescas. Arrancadas al autónomo mecanismo interno de causa y efecto, éstas son atraídas a la heteronomía de un sistema regido por la ley de los contrarios, en el que todo lo que ellas representan —dolor de vivir, debilidades, pena de sí mismo, rendición, enajenaciones amorosas— choca y se mide perennemente con aquella ardiente energía que Quevedo llama *fuego viril*: como una rabiosa repartición del fondo moral en dos géneros, sentimientos masculinos y sentimientos femeninos, entrelazados y combatientes por la eternidad en un frente ininterrumpido. Por ello, dirá del amor: «*Es hielo abrasador, es fuego helado.*» Los casos a que, de vez en vez, da lugar este duelo varían según las situaciones. He aquí las lágrimas que niegan agua al fuego:

Poco mi corazón debe a mis ojos,
pues dan agua a la agua y se la niegan
al fuego que consume mis despojos.[28]

O el llanto es testimonio del fuego:

Del volcán que en mis venas se derrama
diga su ardor el llanto que fulmino...[29]

24. 461, 504: «*En este incendio*».
25. 463, 505: «*Esta víbora*».
26. 465, 507: «*Ya tituló*».
27. 467, 508: «*Quédate a Dios*».
28. 350, 373: «*Esta fuente*».
29. 321, 353: «*Arder sin voz*».

O llanto y fuego se unen para dar testimonio común de la belleza irresistible de la amada:

> *Esto alegan las lágrimas que lloro;*
> *esto mi ardiente llama generosa.*[30]

Ahora es la galantería del ardor canicular, que habiendo agostado la naturaleza, respeta, sin embargo, el tributo de lágrimas derramado por el poeta a causa de su amada:

> *Sólo del llanto de los ojos míos*
> *no tiene el Can Mayor hidropesía,*
> *respetando el tributo a tus desvíos.*[31]

Finalmente, son los dos tradicionales enemigos, fuego y llanto, los que establecen una alianza para hacer una guerra más dura al poeta:

> *La agua y el fuego en mí de paces tratan;*
> *y amigos son, por ser contrarios míos;*
> *y los dos, por matarme, no se matan.*[32]

Así pues, con el Barroco las lágrimas entran en órbita dentro de un más vasto y variado organismo estético e intelectual. Para dar una idea tangible de la mutación, es como si sometiésemos a estos poetas y a estos siglos a un *test* psicológico. A la palabra «lágrimas» el poeta del siglo XVI responderá «dolor». En cambio, Quevedo responderá «llamas». ¿Y Góngora? Posiblemente, Góngora respondería «ríos», lo que, a primera vista, parecería bastante obvio; pero atención: en esta respuesta hay el eclipse de todo un sistema poético.

Peso muy distinto tienen las lágrimas en la poesía de Góngora: en efecto, aparecen en 35 romances, en 8 letrillas, en 17 sonetos y en 5 composiciones de arte mayor.[33] Estas cifras podrían hacernos pensar que nos hallamos ante una

---

30. 300, 339: «¡No sino fuera».
31. 313, 348: «Ya la insana canícula».
32. 441, 491: «Los que ciego».
33. Romances: 3, 5, 7, 9, 10, 11, 12, 14, 15, 17, 21, 23, 27, 30, 32, 33, 37, 39, 40, 41, 45, 47, 58, 60, 62, 64, 66, 68, 72, 74; (tres veces); 75, 77, 84, 86, XII. Letrillas: 114, 121, 134, 135, 149, 151, 164, 207; Sonetos: 216, 222, 223, 242, 246, 262, 279, 287, 295, 327, 332, 335, 337, 348, 355, 366, 376. Composiciones de arte mayor: 390, 400, 404, 409, 410.

poesía plañidera y ñoña; no hay nada de esto; en todo caso, sería cierto lo contrario. Góngora, con sus prodigiosas facultades de descomposición y de abstracción ataca la díada renacentista dolor-lágrimas, separando a estas últimas de su raíz, liberándolas del juego causalista, y manteniendo siempre en jaque al dolor bajo el fuego cruzado de la hipérbole, de la paradoja, de la ironía y de la sátira. Una alegría andaluza leuda estos ejemplos, entre los muchos que se podrían traer a colación. He aquí como la hipérbole desdramatiza en el romance 27-1589 [34] el llanto de Hero sobre los despojos mortales de Leandro:

> *y viendo hecha pedazos*
> *aquella flor de virtudes,*
> *de cada ojo derrama*
> *de lágrimas dos almudes.*

En el epitafio para la tumba marmórea del Greco:

> *tanta urna a pesar de su dureza*
> *lágrimas beba...*

La ironía puede, a veces, enmascararse bajo la apariencia impecable de un diálogo que domina demasiado civilmente el dolor, en vez de expresarlo:

> *Dícele su madre:*
> *«Hija, por mi amor,*
> *que se acabe el llanto,*
> *o me acabe yo».*
> *Ella le responde:*
> *«No podrá ser, no;*
> *las causas son muchas,*
> *los ojos son dos».*
>
> Rom. 30-1590

Mientras, a veces, trasciende a formas descubiertas e incluso groseras de mofa, como en el soneto 295-1608

> *Mientras Corinto, en lágrimas deshecho,*
> *la sangre de su pecho vierte en vano,*

34. Para las citas de Góngora véase la nota n. 4 del estudio precedente.

205

> *vende Lice a un decrépito indiano*
> *por cient escudos la mitad del lecho...*

o en el romance 9-1582 que cuenta el inconsolable dolor de
Belerma, viuda de Durandarte. Doña Alda va a verla:

> *y hallándola muy triste*
> *sobre un estrado de luto,*
> *con los ojos que ya eran*
> *orinales de Neptuno...*

La mutabilidad, la multiplicidad de humores, la chispa
graciosa y burlona nos hacen reconocer el salero andaluz,
pero con este tributo que rinde al típico humor de su gente, Góngora reacciona, por otra parte, contra tres siglos de
lágrimas, de patética elocuencia y de un colorismo que ya
se habían hecho convencionales.

Por tanto, las lágrimas que consiguen pasar a través de
sus despiadados filtros son absolutamente indoloras, por
lo menos para el poeta, si no para los personajes de cuyos
ojos las hace brotar. No le cuestan nada, son puras sensaciones estéticas, y esto explica, en todo caso, el gusto vivaz
que parecen dar a sus versos, corriendo cristalinas a lo largo de ellos y regándolas como en un paisaje el agua de un
río o de un arroyuelo. Naturalmente, nadie puede impedir
que una crítica más preocupada por los contenidos sospeche
de falta de sinceridad, pero esta sospecha, por legítima que
sea, llevaría lejos de la inteligencia de Góngora, lejos de
la comprensión del Barroco.

La técnica gongorina de la imagen, al proceder a la descomposición de los objetos (con una audacia que recuerda los modos del moderno cubismo) y a la libre asociación
de aspectos y cualidades afines de objetos diversísimos, crea
una cadena, una sociedad de metáforas afines e intercambiables, así como un juego complejo de solicitaciones, de
cambios y equivalencias en el que lo que queda inalterado
es sólo la equívoca belleza de la sensación y del ritmo de
fondo. Pues bien, a una de estas familias, probablemente la
más importante, pertenecen las lágrimas. Después de haber
visto a Quevedo introducir las lágrimas en su desgarrada
dialéctica de los contrarios, vemos que Góngora, en perfecta oposición, las introduce en un sistema de semejantes, o
por lo menos de objetos, que, siendo de naturaleza diversí-

sima entre sí, tienen, sin embargo, un aspecto, una cualidad sensible en común.

La primera correspondencia de las lágrimas (en orden de importancia) es con las olas, con las aguas marinas o fluviales. El primer ejemplo, el romance 3-1580, el poeta llega a ofrecernos en el estribillo una doble rima, es decir, junto a la rima fónica, una rima cabalmente húmeda: *llorar-mar:*

> *En llorar convierten*
> *mis ojos, de hoy más,*
> *el sabroso oficio*
> *del dulce mirar,*
> *pues que no se pueden*
> *mejor ocupar,*
> *yéndose a la guerra*
> *quien era mi paz.*
> > *Dejadme llorar*
> > *orillas del mar*

En otro estribillo (Romance 5-1581) tenemos una perfecta ecuación metafórica:

> *Dejadme tristes a solas*
> *dar viento al viento y olas a las olas.*

en el que corresponde al lector sustituir dos de los términos: «Dejadme triste a solas dar suspiros (viento) al viento y lágrimas (olas) a las olas.»

Hallamos otro ejemplo de ecuación cualitativa y de exactitud simétrica en el soneto 287-1607:

> *si ya a sus aras no les di terneros,*
> *dieron mis ojos lágrimas cansadas,*
> *mi fe suspiros, y mis manos flores.*

Canceladas en la pura belleza algebraica las raíces del dolor, o desfiguradas bajo el peso exquisito de un asombroso cincel, ya no importa el origen sino el destino de tantas lágrimas: el transparente fluir, en el que lágrimas y olas se equivalen y confunden en una única sensación, mientras la hipérbole tiene a raya el impuro peso de los afectos, de modo que no se puede dejar de sentir una fresca felicidad con tal volumen de llanto, capaz de doblar el caudal del Guadalquivir (rom. 14-1584):

> Tú, rey de los otros ríos,
> que de las sierras sublimes
> de Segura al Oceano
> el fértil terreno mides,
> pues en tu dichoso seno
> tantas lágrimas recibes
> de mis ojos, que en el mar
> entran dos Guadalquivires...[35]

Y he aquí al moro Zulema en el rom. 21-1586.

> Los ojos tiene en el río,
> cuyas ondas se le llevan,
> y él envueltas en las ondas
> lleva sus lágrimas tiernas.

Pero al poeta le importa muy poco tanto llanto, como nos lo demuestra en los versos siguientes:

> Tanto llora el hideputa,
> que si el año de la seca
> llorara en dos hazas mías,
> acudiera a diez hanegas.

Hemos visto lágrimas que se convierten en mares y lágrimas que se convierten en ríos. Antes de señalar ulteriores metamorfosis, ya que se trata de metamorfosis y no de similitudes (Ovidio está detrás de todo el Barroco europeo: lo que sucede es que de la fabulosa excepcionalidad de sus casos límite hemos pasado a una consciencia de la ambigüedad total del cosmos, a la que tratan ontológicamente de adecuarse las nuevas técnicas poéticas), es decir, antes de señalar otras transformaciones, hay que decir que éstas están sometidas a la regla de la reversibilidad. Las analogías se abren continuamente en dos direcciones; las lágrimas

---

35. La imagen del río con su caudal duplicado por las lágrimas fue del agrado de un narrador contemporáneo de Góngora, Mateo Alemán: «Apenas había salido de la puerta, cuando sin poderlo resistir, dos Nilos reventaron de mis ojos, que regándome el rostro en abundancia, quedó todo de lágrimas bañado». (*Guzmán de Alfarache*, P. I, L. I, cap. III.)

pueden convertirse en el Guadalquivir, pero el Betis (el Guadalquivir) también se convierte en lágrimas:

> *aquí, donde está el Betis,*
> *creo, tu fin reciente*
> *llorando, por los ojos*
> *desta su antigua puente.*

La imagen de los «ojos del puente» reaparece con relampagueo más intenso y fulmíneo en el son. 303-1609, donde habla de un puente de Segovia sobre un río medio seco:

> *cuyos ojos están llorando arena.*

Veamos ahora bajo qué otras figuras se realizan las lágrimas del cosmos gongorino. He aquí las lágrimas-lluvia en el rom. 64-1610:

> *en un día muy nublado*
> *y una noche muy lluviosa,*
> *luto el uno, la otra llanto.*

Las lágrimas-fuente en el rom. 74-1618:

> *y lagrimosa la fuente*
> *enronqueció su murmurio.*

Rocío y perlas en el rom. 66-1611:

> *lloró aljófar, lloró perlas*
> *pienso yo que un celemín*

y, una vez más, bellísimas lágrimas-perlas culteranas en el rom. 68-1613:

> *Dulce la mira la Aurora*
> *entre purpúreos albores*
> *pascer, las que troncó, flores,*
> *beber las perlas que llora.*

Más populares son las lágrimas de Menguilla, que, en un puro juego de materia cromática llora perlas por haber perdido el collar de corales:

209

Así pues, las lágrimas son rientes, son centellas sin esplendor, ondas sin ruido que traicionan su propio ser: este último verso expresa la verdadera poética de Góngora, su insatisfacción ante las simples apariencias de lo real, el derecho del poeta a elegir entre ellas, o incluso a superponerles su propia interpretación. También es interesante notar la repetición consecutiva de la preposición *sin*, que debemos considerar importantísima, ya que indica todo el trabajo de eliminación en la síntesis.

Finalmente, el golpe final para quien todavía tuviese dudas sobre la naturaleza de las lágrimas en Góngora nos lo da el son. 222-1582:

> *Cual parece al romper de la mañana*
> *aljófar blanco sobre frescas rosas,*
> *o cual por manos hecha, artificiosas,*
> *bordadura de perlas sobre grana,*
> *tales de mi pastora soberana*
> *parecían las lágrimas hermosas.*

Don Luis, en vez de partir de las lágrimas de su amada para ampliarlas y refractarlas en los cielos de la metáfora, parte con una distraída lentitud del plano imaginario al plano real, concediendo al primero no sólo la prioridad sino los mayores cuidados de su paleta. El rocío, los colores fresquísimos —los blancos y los rojos— de las rosas y del alba son la sensación viva, la imagen-guía del soneto, y ésta, luego, con dibujos más débiles, atrae hacia sí un encaje de perlas sobre la tela roja (seda o terciopelo) y, finalmente las lágrimas sobre el cutis de la mujer. El poeta, para poner el tercer elemento en el plano de los otros dos —y, por tanto, por una pura exigencia de equilibrar el trinomio— debe añadir el adjetivo *hermosas*, evitando que las lágrimas resulten demasiado descoloridas respecto a los tonos brillantes de la aurora y del bordado.[36] El efecto es de un cromatismo

---

36. Las rosas de Marino llegan más tarde: "Rose, rose beate,/lascivette figliuole/de la terra e del sole", pero si esta profesada sensualidad no encuentra ningún paralelo en la poesía de Góngora, no podemos dejar de aludir a dos coincidencias, ciertamente no casuales, en los versos que siguen, es decir, la dicromía *perlas-rubíes* y la insistente sensación de humedad del rocío y del alba: «In lei si specchia il cielo/a lei da l'oriente/ride l'alba nascente,/e da l'umido velo/sparge il vivo gelo/umori cristallini,/onde lava ed imperla i suoi rubini».

exquisito de un brillante preciosismo veneciano —y todo ello mientras la amada llora (¿y por qué?).

Así pues, no nos maravillaremos ante el extraño aplauso que sirve de estribillo al rom. 45-1599.

> *¡Oh, qué bien llora!*
> *¡Oh, cómo se lamenta!*

dirigido aparentemente a un pescador que llora a orillas del Carrión, pero, en realidad, aquel aplauso, en el fuero interno del poeta, se dirige al límpido y perfecto juego de aguas que ha conseguido crear:

> *Las aguas de Carrión*
> *que a los muros de Palencia,*
> *o son grillos de cristal*
> *o espejos de sus almenas,*
> *un pescador extranjero*
> *en un barquillo acrecienta,*
> *llorando su libertad*
> *mal perdida en sus riberas.*
> *¡Oh, qué bien llora!*
> *¡Oh, cómo se lamenta!*

Las lágrimas del pescador son, en realidad, un tributo a la transparencia del cosmos. La voz del hombre ya no representa el vértice, la coronación de la orquestación poética, sino un instrumento entre los demás. Si, no obstante la ruptura con los viejos esquemas, Quevedo se mantiene todavía en el área del dolor, Góngora ya está completamente fuera de ella. Pero no hay que creer que el ocaso de las viejas lágrimas, de la monocorde y débil musa de los petrarquistas (que, sin embargo, había realizado un precioso trabajo de introspección amorosa) ocurriera como un hecho aislado: lo que se derrumba es todo el sistema antropocéntrico de los tiempos clásicos y renacentistas, corroído por descubrimientos de incalculable alcance, como el descubrimiento de América y de la pluralidad de los mundos, lentamente desplazados del dominio de la ciencia al dominio de la conciencia hasta desencadenar una fiebre de contradiccio-

ca al concepto de ninfa como proyección mítica, que no deja de parecernos tautológica, tanto más en la boca de un fauno, la exclamación inicial del *Après-midi* de Mallarmé:

Ces nymphes, je le veux perpétuer.

Estas dulces figuras tan sabiamente armonizadas con su paisaje dan a éste y reciben de él una delicada profundidad. Los riachuelos roban a porfía su relampagueante blancura. Los árboles hacen gala de los escondrijos de sus troncos. Pero, con todo ello, la necesidad de liberarse de temas y ficciones poéticas ya consumidas, lleva al siglo XVII a cometer una auténtica ninfoclastia. Este es, posiblemente, el signo más vistoso —y más acertado— de la reacción de los barrocos contra la poética petrarquiana, que los renacentistas tardíos y los manieristas habían inflaccionado hasta la saciedad, en el esquema fijo del lamento por el rechazo, por el *desdén*. A la subversión de los viejos temas, se acompaña ahora una alegría, un saludable gusto del escándalo que multiplica hasta el infinito sus hallazgos. Aunque es posible que la base de su renovación sea el puro fin de la extravagancia —lo cual no significa nada, es una hipótesis ociosa y basta—, esto no debería apartarnos de reflexionar en la cantidad de realismo contenido en la poesía de los barrocos. Por lo general, no hay movimiento de ruptura —por poco que represente— al que no se conceda el beneficio de la causal, investigándolo en las circunstancias históricas que lo han determinado. Sólo del Barroco se habla indiscriminadamente de extravagancia, lo cual demuestra como, a fin de cuentas, la irreductibilidad del vicio clásico es más fuerte aún que la justicia historicista. En cambio, la verdad es que el Barroco es el que reacciona contra el irrealismo manierista, condensando violencias y contradicciones de la vida cotidiana y de sus objetos, de lo que, sobre todas las cosas, no debía tener acceso al Parnaso. El más consecuente efecto (y causa al mismo tiempo) de lo que podríamos llamar el realismo amoroso barroco es, pues, la expulsión de las ninfas, su exilio de los versos de los nuevos poetas, ya que, aún cuando por comodidad se emplee su nombre, es con distinto cálculo semántico, como también es distinta la escena que pisan los nuevos fantasmas amorosos: calles, plazas, salones, tiendas, patios, las escenas de cada día, de donde los habían excluido los manieristas, recluyéndolos entre

216

espejos de agua, arroyuelos, selvas profundas en las que desaparecían, dejando indefectiblemente a sus espaldas un rastro de desilusionados y de desgarradores suspiros. El ansia de predicación múltiple de la mujer que invade los nuevos cancioneros ha sido sutilmente estudiada por Giovanni Getto[1] en una cantidad de ejemplos que muestran que al módulo uniforme de la abstracta perfección se contrapone una riqueza de notaciones particularísimas, un gusto de lo heterogéneo que no se detiene ante la representación de las imperfecciones físicas o espirituales de la mujer, mejor dicho, se complace en ello porque se adapta mejor a la identificación y al contraste. Nace así una pintoresca galería de tipos femeninos que sería interesante aislar en una antología realista del amor barroco, que aún no siendo extraña a lo estrafalario y a lo paradójico, siempre podría desmentir la etiqueta de marinismo que se ha puesto con excesiva ligereza, sobre la poesía italiana de todo el siglo. Son criaturas llenas de empuje y de contradicciones; no motores inmóviles, sino activas y antirretóricas protagonistas en la dialéctica de Eros, como la «ninfa» de Maia, tan nítidamente polémica:

> La ninfa sua d'orgoglio amica e d'ira
> altri pur chiami e rigida e ribella:
> s'io miro la mia ninfa ella mi mira;
> s'io d'amor parlo ella d'amor favella.
> . . . .
> E s'a lei do tre baci, ella a me sei.[2]

o, del mismo Maia, la hermosa mujer que se come con los ojos al apuesto joven que juega a pelota (*Battea con picciol globo i sassi...*).[3] Bribonas o mártires, estas mujeres tienen sentidos bien despiertos y un *sex-appeal* que astutamente prorrumpe en los modos y en las situaciones más insólitas, desde los harapos de la pordiosera hasta la espalda perlada de sangre de la bella flagelada de Brignole Sale. El mismo mito cristiano de la Magdalena, como observa Cro-

1. *Opere scelte di Marino e dei Marinisti*, Turín, 1954, II, 9-38.
2. La ninfa suya, amiga de orgullo e ira/otros la llamen, y rígida y rebelde:/si yo miro a mi ninfa, ella me mira;/si yo de amor hablo, ella de amor habla/...Y si a ella doy tres besos, ella a mí seis. (Versión del traductor).
3. Golpeaba con pequeño globo las piedras... (Versión del traductor).

Ninfa, de Doris hija, la más bella,
adora, que vio el reino de la espuma.

parecería que aquí las ninfas se encuentren al seguro de aquellas molestias que hemos observado en los poetas italianos del siglo XVII. Pero su seguridad no dura si no es en el interior del endecasílabo. Sí, es un hecho curiosísimo, pero no inexplicable. En España el endecasílabo fue el vehículo, el hilo conductor de la cultura renacentista e italiana. A través de él, penetraron la arquitectura y la sintaxis del alma italiana, la poética de la dulce enemiga y los verdes paisajes itálicos —de Garcilaso a Herrera—, los emblemas y mitos de la antigüedad clásica, y, entre éstos, las ninfas. Así pues, mientras se mantienen al reparo dentro de aquel grupo de sílabas, las ninfas no corren ningún peligro. Pero no se puede esperar igual consideración por parte de la métrica tradicional española. En la poesía de la época de Góngora sigue vigente lo que hasta hoy parece una constante del sentimiento poético español: la dicotomía que se da por primera vez en el Marqués de Santillana, autor de los primeros sonetos «fechos al itálico modo» y al mismo tiempo de las más populares serranillas, que en una exacta topografía describen encuentros humanísimos, que tienen el calor de un pan recién sacado del horno.

Pasando de una estructura métrica a la otra, el fonema de que estamos tratando encuentra, pues, mayor resistencia, debiendo adaptarse a un terreno más realista y menos crédulo a los mitos. Los romances 52-1603 y 36-1591 presentan dos modos característicos de adaptación en Góngora.

En el primero:

> *En los pinares de Xúcar*
> *vi bailar unas serranas,*
> *al son del agua en las piedras,*
> *y al son del viento en las ramas.*
> *No es blanco coro de ninfas*
> *de las que aposenta el agua,*
> *o las que venera el bosque,*
> *seguidoras de Diana:*
> *serranas eran de Cuenca,*
> *honor de aquella montaña...*

se denuncia claramente lo literario del término, colocado

allí para dar más relieve a la corpórea realidad de las serranas. La contraposición se acentúa aún más con aquella inversión «serranas eran» que excluye netamente la posibilidad de que pudiera tratarse de un blanco coro de ninfas. En el segundo ejemplo, la desvalorización semántica da lugar a un divertido neologismo inventado en ese momento por Góngora. El poeta se dirige al Tajo:

> *A vos digo, señor Tajo,*
> *el de las ninfas y ninfos...*[7]

Estos ninfos, no se sabe muy bien si en función de cortejadores o de invertidos competidores de las ninfas, dilatan en la risa la solemnidad del apóstrofe.

El mismo desgaste, las mismas afrentas sufren en el campo de la métrica tradicional los grandes mitos o los temas amorosos de la antigüedad clásica que don Luis ataca con irónica iconoclastia. ¿Será una utilización *in extremis* —es decir en el límite del sentimiento— de sus fondos culturales? Blanco preferido serán los temas líquidos. Pero Polifemo, hijo de Neptuno, monstruo de una isla mediterránea

> *Donde espumoso el mar siciliano*
> *el pie argenta de plata al Lilibeo*

conserva intacta en el endecasílabo su monstruosa dignidad, aun en el incómodo papel del enamorado de la tradición teocritea y ovidiana.[8] Inmerso en una «barroca exuberante vege-

---

7. «Effoeminatus homo», en *Diccionario de Autoridades*, s. v. NYMPHO.
8. «Dentro aún de la literatura griega, menos conocida del público literario de España, pero más próximo a la tradición que sigue Góngora, es el idilio de Teócrito, donde Polifemo, sentado sobre las altas rocas, entona su canto de amor a la desdeñosa Galatea. Ese canto pasa a Ovidio, en quien la fábula con sus acciones y personajes (Polifemo, Galatea, Acis) aparece ya fijada para la tradición posterior. Una larga cadena de traductores e imitadores, totales o parciales, se vincula a través del siglo XVI español hasta los comienzos del XVII: Castillejo, Pérez Sigler, Sánchez de Viana, Gálvez de Montalvo, Barahona de Soto, Carrillo, Góngora, Lope de Vega, para mencionar sólo algunos de los más importantes. Las imitaciones parciales o momentáneas son infinitas... En varias imitaciones españolas va a confluir con el directo de las *Metamorfosis* el influjo de los traductores italianos, Dolce y, sobre todo, Anguillara, y los imitadores como Stigliani y tal vez Marino.» Dámaso Alonso, *Poesía Española*, cit., 333-334.

cia en el interior de una misma obra —poesía, cuadro o estatua— de forma e informe, de líneas cerradas y líneas abiertas, de geométrico y de grotesco.

Bien diversa es la suerte de los mitos de la tradición clásica en el espejo deformador del octosílabo. Bastan por todos, los ejemplos de dos narraciones fabulosas que conjugan trágicamente amor y muerte, como son las de Hero y Leandro,[11] y de Píramo y Tisbe,[12] que, en cambio, encuentran en Góngora la más abierta irrisión. El primero de tales mitos es decididamente acuático,[13] y el segundo se convierte en tal en la manipulación gongorina. En el larguísimo romance 74-1618 la historia de los dos jóvenes enamorados,

> *los que en verso hizo culto*
> *el licenciado Nasón...*

sus citas detrás de la pared que los separa son periódicamente sometidas por don Luis a imágenes que humedecen su árida materia, como hace el escultor para evitar que se seque la creta. Aparte algunas lágrimas y cristales diseminados en los primeros 120 versos, he aquí la conclusión que el poeta saca de los gemidos de la muchacha-tórtola:

> *que de las penas de amor*
> *encarecimiento es sumo*
> *escuchar ondas sediento*
> *quien siente frutas ayuno.*

vv. 129-132

Y he aquí el descubrimiento por Tisbe de la hendidura en la pared de la buhardilla:

---

11. Rom. 27-1589, 64-1610 y IV (1588); letrillas 96-1581 y XXXIV.
12. Rom. 55-1604, 74-1618.
13. G. Bachelard (*L'eau et les rêves*, París 1942) examina algunos complejos acuáticos que bautiza con los nombres de Narciso, Nausicaa, Leda y el cisne, hasta el trágico complejo de Ofelia. Ni Bachelard ni ningún crítico psicoanalista —que yo sepa— han pensado en la simbología sexual que apenas vela la historia de Leandro, el amante que se ahoga entre las maléficas olas nocturnas antes de llegar a la orilla donde lo espera su amada, y a la que no llegará más que su cuerpo sin vida. No es que queramos proponer esta clave de lectura, pero, sin duda, éste parecería uno de los ejercicios más fáciles desde el punto de vista psicoanalítico.

Un día que subió Tisbe,
humedeciendo discursos,
a enjugarlos en la cuerda
de un inqüeto columpio...

vv.169-172

Cuanto más alejado parece el tema de su húmeda poética, más aumentan los esfuerzos del poeta por introducirla y legitimarla con una insidiosa belleza, o a través de acrobáticas sinestesias, o incluso sacando agua de las piedras. Caído en la trampa de aquella sedienta buhardilla de muros resecados por el sol, entre los polvorientos telares en desuso, Góngora explora palmo a palmo la pared, a través de los ojos de Píramo, ¡y los ojos se le convierten en un *barco de vistas* que surca inmóvil un Mediterráneo seco! Luego Tisbe va a la fuente:

Sus pasos dirigió donde
por la boca de dos brutos
tres o cuatro siglos ha
que está escupiendo Neptuno.

. . . .

y lagrimosa, la fuente
enronqueció su murmurio.[14]

vv. 293-300

Después de los esputos de Neptuno, la baba de la fiera:

babeando sangre, hizo
el cristal líquido impuro.

vv. 331-332

El final es una hiperbólica inundación de sangre que salpica por todas partes, y de ríos plañideros. Lloran los ríos de Oriente y los de Occidente:

14. Hemos visto al dios de las aguas, blanco de otra burla irrespetuosa en el rom. 9-1582, donde, de una viuda en lágrimas, don Luis dice que sus ojos se habían convertido en «orinales de Neptuno».

225

Lloraron con el Eufrates,
no sólo el fiero Danubio,
el siempre Araxes flechero,
cuando parto y cuando turco;
mas con su llanto lavaron
el Bucentoro diurno,
cuando sale, el Ganges loro,
cuando vuelve, el Tajo rubio.

vv. 473-480

4
Modelo de balanza gongorina

Nuestra intención es, por una parte, liberar a Góngora, inventor y creador de un mundo autónomo y suficiente en sí mismo en su incomparable unicidad, de una parte de la cristalización llevada a cabo por Dámaso Alonso (y, en general, por el purismo de la «Generación de 1927») en un cerrado sistema hisperclasicista; por otra, diferenciarlo de la superestructura de una especie de barroco pseudo-existencial de tipo quevedesco, que es el resultado de los estudios post-bélicos de Dámaso Alonso en los cuales lo une y opone dialécticamente a Quevedo, desplazándolo —de acuerdo con la crítica de estas últimas décadas— hacia el conceptismo. Esta parábola fue puesta de relieve por Oreste Macrí y puesta en relación con su crisis de poeta, pasado de la poesía pura a la poesía *arraigada*.[1]

Sin embargo, nuestro estudio sobre las estructuras de la poesía gongorina no puede partir más que de los descubrimientos de D. Alonso sobre la retórica de las pluralidades en Petrarca y en los petrarquistas, que Góngora llevará después a su culminación.[2] Pero su teoría de la bimembración —convincente y exacta, sin duda— por otra parte tiene el inconveniente de constreñir el cosmos gongorino entre las

---

1. A. Macrí, *La storiografia nel barocco letterario spagnolo en Manierismo, Barocco, Rococò*, Convegno Internazionale, Accademia Nazionale dei Lincei. Roma 1962, 173-176.
2. *Estudios y ensayos gongorinos, op. cit.*

227

espirales de una neo-retórica, ya que no se preocupa de recuperar en el plano semántico el principio formal encontrado. La única vez que desplaza su examen del plano del significante al plano del significado señala, como base de la
bimembración, una satisfacción del oído (del poeta, del
lector) y una felicidad sinestética que procede de un sentido de equilibrio y de nivelación ofrecido por la simetría de
los dos miembros del verso.[3]

En nuestra opinión, en cambio, la bimembración no es
más que uno de los modos —el más evidente, el más fácil
de aislar— en que se articula un complejo sistema cuyo origen en Góngora está en la suprema exigencia de un equilibrio que es dimensión gnoseológica, de conocimiento, mejor aún, de creación del mundo, ponderado en los platos
impecables de una balanza demiúrgica y barroca.

Junto a la bimembración, que requiere una formal correspondencia, visiva o fonética, entre los dos miembros de un
verso (o algunas veces, entre dos versos), existen ejemplos
a millares de momentos en los que el pensamiento de Góngora oscila, se desdobla, se bifurca, se contradice y diverge
en formas duales, como si el poeta concibiese el mundo como
una especie de partida doble, en la que todo objeto, toda

3. Alonso distingue cuatro tipos de versos bimembres. El primer tipo, la
bimembración de elementos fonéticos, se da cuando en la segunda parte del
verso se repite una palabra que figuraba en la primera:

   Cama de campo y campo de batalla...

El segundo tipo, la *bimembración colorista*, es aquél en el que palabras que
indican colores iguales o contrapuestos están distribuidas simétricamente en la
primera y en la segunda parte del verso:

   O púrpura nevada, o nieve roja...

El tercer tipo, la *bimembración sintáctica*, es el que repite en el segundo miembro la misma estructura morfológica y sintáctica del primero. Los dos miembros pueden estar separados por una coma o por la conjunción *y*, centro o eje
simétrico:

   Gimiendo tristes y volando graves...

Finalmente, el cuarto tipo, *la bimembración rítmica*, es aquél en el que se verifica una fragmentación simétrica (o casi simétrica) del endecasílabo mediante el acento, con una pronunciada pausa que sigue al final del primer miembro:

   Armó de crueldad, calzó de viento...

Aun dejando la puerta abierta a una serie ilimitada de variantes, excepciones
y yuxtaposiciones de los tipos, todo el cuadro tipológico sigue vinculado a un
dominio formal de escuela y de manera.

verdad son susceptibles de ser escritos con otro signo en la página opuesta. Así pues, gran parte de los versos bimembres puede encajar como un detalle en este cuadro más amplio.

Este no es más que un simple intento o sondeo para comprender en manera orgánica el mundo gongorino en sus elementos y parámetros cuantitativos; por lo tanto, pedimos perdón por una cierta aproximación y empirismo al establecer los varios campos lógicos ejemplificados. En particular, dado el fin ideológico que nos habíamos propuesto, no siempre hemos especificado la fenomenología de los signos gramaticales.

1. *Formas duales*

Una primera serie de relaciones nos la puede dar la identidad de un término con sí mismo ($a = a$) o con otro término ($a = b$), o bien la oposición con otro término (a contrario a b), o, simplemente, su diversidad (a diverso a b). Tenemos así tres casos: congruencia, oposición y alternancia. Dada la naturaleza dinámica del sistema semántico gongorino, no hay que asombrarse si en el puesto de honor figuran oposiciones y alternancias, sobre todo las primeras.

Congruencia del primer tipo ($a = a$):

> *Plumas, aunque de águilas reales,*
> *plumas son; quien lo ignora mucho yerra.*
> Son. 270-1603

> *Haga, pues, tu dulcísimo instrumento*
> *bellos efectos, pues la causa es bella...*
> Son. 234-1583

> *y concha suya la misma*
> *que cuna de Venus fue.*
> Rom. 88-1621

Del segundo ($a = b$):

> *Debéis con gran razón ser igualados,*
> *él solo en armas, vos en letras solo.*
> Son. 236-1585

> *adonde con igual pausa*
> *hieren el agua los remos*
> *y los ojos de ella el alma.*

Rom. 5-1581

Nótese que en este último ejemplo, el signo de igualdad precede a los dos términos.

Oposición. Existen varios tipos de oposición según cuales sean los elementos de la frase entre los que se produce. En el ejemplo siguiente, el contraste se verifica entre los dos adjetivos posesivos:

> *fabricar de ajenos yerros*
> *las rejas de su prisión.*

Rom. 63-1610

en este otro, en los adverbios:

> *porque al Sol le está mal*
> *lo que a la Aurora bien.*

Rom. 58-1608

y en este otro, en las preposiciones:

> *cuál sin pluma y cuál con ella,*
> *y todos de hambre pïando.*

Rom. 64-1610

La repetición de *cuál* en posición simétrica así como el orden sintáctico igual en el primero y segundo miembro hacen de este verso un típico bimembre, pero a nosotros nos interesa el cambio de sentido que proviene del cambio de la preposición.

En este otro ejemplo:

> *Celebrada, pues, la fiesta*
> *por aquellos mismos pasos*
> *(si bien con otros intentos)*
> *que vinieron, se tornaron.*

Rom. 64-1610

vemos dos oposiciones: la primera *mismos pasos-otros intentos;* la segunda *vinieron-tornaron.*

Por otra parte, la oposición se produce también aunque no haya expresamente elementos en contraste. En

> *altas torres besar sus fundamentos*
> *y vomitar la tierra sus entrañas...*

Son. 261-1596

la tierra está entre dos fuegos, entre dos violencias que se desencadenan desde arriba y desde abajo. La naturaleza, la vida humana están tan consustanciadas de oposición, que para dar una idea del cielo, al poeta le bastará con decir que es el lugar sin contrastes: «los sacros nidos donde el bien se goza sin temer el contrario».

Contrasentido. Es una variante de la oposición pero con un toque de absurdo:

> *hecho pedazos, pero siempre entero.*

Son. 352-1620

> *¿Quién oyó, zagales,*
> *desperdicios tales,*
> *que derrame perlas*
> *quien busca corales?*

Rom. 60-1609

Alternancia. Como la oposición, la alternancia nos ofrece gran variedad de tipos. Uno de los tipos más frecuentes de alternancia es el conseguido con *sino* y con *si no*, no condicional, que se debe completar en *si no* (*es*). Se trata de formas equivalentes semánticamente, pero gramaticalmente el primero es adversario, mientras el segundo es correctivo. Otras variantes: *cuando no* (*es*) y *ya que no* (*es*). Sus correspondientes italianos serían: «ma, se non, anzi, o meglio, o piuttosto». Este es un procedimiento típicamente gongorino. Góngora lo usa como un tornillo de precisión para aproximar dos términos demasiado remotos o cuya conexión exigiría complicadas justificaciones. En las hábiles manos de don Luis representa, pues, un buen instrumento y un estímulo para la agudeza. Veamos el romance de la colmenera que un caballero ve llegar a la fuente:

> *arracada de su aldea*
> *sino es de la beldad...*[4]

En el Rom. 69-1613, con motivo de la beatificación de Santa Teresa:

> *Moradas, divino el arte,*
> *y celestial la materia,*
> *fabricó, arquitecta alada,*
> *si no argumentosa abeja.*

Si no (*es*) o *sino* pueden también servir a otro fin: el de crear un diversivo *b* que haga resaltar más el valor de *a*. Obsérvese en este ejemplo que *a* ha sido relegado al último verso. Se trata de un verso que merece plenamente nuestra expectativa:

> *cubra esas nobles faltas desde ahora*
> *no estofa humilde de flamencos paños*
> *(do el tiempo pueda más), sino, en mil años,*
> *verde tapiz de yedra vividora...*

Son. 225-1582

La comparación con los tapices flamencos hace a la pared de hiedra más verde y viva que nunca.

Comparación. Traemos aquí algunos ejemplos de esta relación que, en su forma más sencilla, no tiene nada de especial, mientras volveremos dentro de poco sobre uno de sus usos muy particular. Naturalmente, existen tres tipos de relación. De igualdad:

> *sorda tanto como bella.*

Rom. 72-1614

de superioridad:

> *Bellísima cazadora,*
> *más fiera que las que sigues*
> *por los bosques...*

Rom. 14-1584

---

4. Millé lee erróneamente «arrancada».

y de inferioridad:

> *menos un torno responde*
> *a los devotos impulsos,*
> *que la mulata se gira*
> *a los pensamientos mudos...*
>
> Rom. 74-1618

Este ejemplo comprende los dos últimos tipos:

> *Oh tú, de las parleras*
> *aves la menos dulce y más quejosa.*
>
> Canción 401-1614

Bifurcación. Puede consistir en una especie de escisión en dos de una cosa o de una acción, resultando divergentes o complementarios o paralelos los dos elementos. O bien, de dos acciones o efectos convergentes hacia un mismo resultado:

> *Herido el blanco pie del hierro breve,*
> *saludable si agudo (amiga mía)*
> *mi rostro tiñes de melancolía,*
> *mientras de rosicler tiñes la nieve.*
>
> Son. 260-1595

> *De chinches y de mulas voy comido*
> *las unas culpa de una cama vieja,*
> *las otras de un señor que me las deja...*
>
> Son. 304-1609

> *¿Qué mucho si el Oriente es, cuando vuela,*
> *una ala suya, y otra el Occidente?*
>
> Son. 284-1606

Hay romances resueltos enteramente con bifurcaciones, como el del caballero español (23-1587) escindido exactamente entre el amor por su rey y el amor por la hermosa mora, y el romance del pescador enamorado que lanza contemporáneamente las redes al agua y suspiros al viento:

> *Volad al viento, suspiros,*
>
> . . . .

233

> *Y vosotras, redes mías,*
> *calaos en las ondas claras...*

La bifurcación, con la oposición y la alternancia, está en el vértice de la escala jerárquica de las formas duales. Por la frecuencia y eficacia de su uso nos hace sentir, no raramente, este ritmo binario tan natural para esta poesía, como para el cuerpo humano el tener dos brazos y dos piernas. Bivalencia. Dice de la Fama:

> *del monstruo que todo es pluma,*
> *del ave que es ojos toda...*
>
> Rom. 67-1612

Aquí, en cambio, dice de dos caballeros andaluces:

> *A ellos les dan siempre los jueces,*
> *en la sortija el premio de la gala,*
> *en el torneo de la valentía.*
>
> Son. 273-1603

Substitución. *a* en lugar de *b*:

> *La diligencia, calzada,*
> *en vez de abarcas el viento...*
>
> Rom. 79-1620

o en una operación más compleja:

> *de un pastor que, en vez de ovejas,*
> *sigue el impulso veloz*
> *de vuestras hermosas alas*
> *con las de su corazón.*
>
> Rom. 91-1622

Alternativa. O *a* o *b*:

> *Dícele su madre:*
> *«Hija, por mi amor,*
> *que se acabe el llanto,*
> *o me acabe yo».*
>
> Rom. 30-1590

234

> *porque no vuele tanto*
> *deténgala tu música o mi llanto».*
>
> Canción 39-1603

Dilema.

> *Tan grandes son tus extremos*
> *de hermosa y de terrible,*
> *que están los montes en duda*
> *si eres diosa o si eres tigre.*
>
> Rom. 14-1584

Nótese cómo la impresión de duda aumenta en nosotros a causa de la posición privilegiada de duda al final del verso.

Equilibrio. He aquí un perfecto equilibrio de temores:

> *De cañas labra sutiles*
> *prisión tan cerrada al fin,*
> *que el aire dudaba entrar,*
> *porque dudaba salir.*
>
> Rom. 66-1611

y un equilibrio de gestos:

> *Esperanzas, pues, de un día,*
> *prorrogando engaños de otro,*
> *a silencio al fin no mudo*
> *respondió mirar no sordo.*
>
> Rom. 84-1620

Mediación o intercesión. He aquí dos finísimos esbozos de mujer; el primero, en los tonos fríos de un delicado pastel invernal; el segundo, entre los cálidos relampagueos del verano. En el primero, el poeta dice que el coturno de la mujer establecía la tregua entre la nieve y la nieve; es decir, que separaba la blancura del pie de la blancura de la nieve que pisaba.

> *Un día, pues, que pisando*
> *inclemencias de diciembre,*
> *treguas hizo su coturno*
> *entre la nieve y la nieve...*
>
> Rom. 77-1619

En el segundo habla de Tisbe:

Terso marfil su esplendor,
no sin modestia, interpuso
entre las ondas de un Sol
y la luz de dos carbunclos.

Rom. 74-1618

Competición.

Mientras por competir con tu cabello
oro bruñido el Sol relumbra en vano...

Son. 228-1582

En tanto, pues, que se baña,
y se compiten lo blanco,
y aun si desmienten lo terso
sus miembros y el alabastro...

Rom. 83-1620

Conversión, transformación. Indican el paso del mismo término de un estadio al otro, de una semblanza a otra; por lo tanto, aunque el término sea el mismo, la situación es diversa.

Las aves de la Deidad
que primero espuma fue...

Rom. 87-1621

Las flores del romero,
niña Isabel,
hoy son flores azules,
mañana serán miel.

Rom. 58-1608

y esta doble transformación:

Esto Felicio cantaba
al dulce doliente son
de ninfa que ahora es caña,
de caña que ahora es voz.

Rom. 91-1622

Proyección y modificación en el tiempo. Pertenece a la misma familia de las conversiones y al mismo razonamiento, es decir, acción dual de un mismo término. He aquí una proyección dual hacia el pasado:

> *que puede ser yermo hoy*
> *el que fue jardín ayer.*
>
> Rom. 61-1580

y una en el futuro:

> *para lecho le compone*
> *que será tálamo luego.*
>
> Rom. 48-1602

Reciprocidad.

> *Dejadme vengar de aquella*
> *que tomó, de mí, venganza*
> *de más leales servicios*
> *que arena tiene esta playa...*
>
> Rom. 5-1581

o este malicioso juego de palabras sobre la vida de la corte:

> *carrozas de ocho bestias, y aun son pocas*
> *con las que tiran y que son tiradas...*
>
> Son. 252-1588

Anticipación.

> *Las primicias de las flores,*
> *que antes huelen que se ven.*
>
> Rom. 61-1609

Réplica.

> *Los pájaros la saludan,*
> *porque piensan (y es así),*
> *que el Sol que sale en Oriente*
> *vuelve otra vez a salir...*
>
> Rom. 2-1580

Muera yo en tu playa, Nápoles bella,
y serás sepulcro de otra sirena.

Seguidilla 409-1609

Copia. Una deliciosa copia del universo, empequeñecida, vemos en los ojos de Minguilla, de *Minguilla la siempre bella,* según una técnica microscópica típica de la poesía arábigo-andaluza:[5]

> *Minguilla la siempre bella*
> . . . .
> *la que dulcemente abrevia*
> *en los orbes de sus ojos,*
> *soles con flechas de luz,*
> *Cupidos con rayos de oro...*

Rom. 84-1620

(Los dos últimos versos son bimembres.) Este es un paradigma con pocos casos, pero no por ello es menos significativo de la necesidad de una correspondencia y de reflejarse en otra imagen que tienen las cosas del cosmos gongorino. De todos modos, he aquí otro ejemplo con *abreviar:*

> *¡Oh, paredes...*
> *vosotras incluís dos luces bellas,*
> *tales, que abrevia el cielo*
> *sus faroles clarísimos en ellas.*

Las firmezas de Isabela vv. 16-21

Aunque esta poesía da la impresión de que bastaría quitar una palabra para desequilibrar el mundo, a fin de cuentas, lo que cuenta no es la palabra. En efecto, en el plano cosmológico encontramos un naturalismo llevado a un formalismo de relaciones: el poeta, al actuar como demiurgo, reduce una vasta e intrincada naturaleza a una relación de formas, paralelamente a lo que hacía la ciencia de la época. La consecuencia, aunque sea parcialmente, es un proceso de vaciado de contenido semántico de la palabra. Por lo tanto, se va abriendo camino la conveniencia de corregir la impresión de un falso naturalismo gongorino hedonístico,

---

5. Ver E. García Gómez, *Poemas arábigoandaluces,* Espasa-Calpe, Madrid 1940, p. 47; Dámaso Alonso, *Estudios y ensayos gongorinos, op. cit.* p. 61.

meramente sensual y voluptuoso. En Góngora hay un elemento especulativo que hace que no se le pueda comparar ni de lejos con Marino, como, sin embargo, se ha hecho durante tanto tiempo.

2. Mitad-Dos

La teoría de la balanza gongorina se ve confirmada aún más por los verbos partitivos (*dividir-partir*) y por sustantivos como «mitad» y adjetivos como «medio», que marcan la escisión del centro único del espacio del siglo XVI en los dos focos de la elipse de los barrocos. (Otra prueba del paralelismo barroco entre poesía y artes del espacio.)

La negación de la unidad se consuma en los ejemplos que reproducimos (y que no son más que una pequeñísima parte de los que podríamos citar) con aquel gusto sutil o excitante de lo nuevo que encontramos en toda el área aritmética. Es, diríamos, la sonrisa cuantitativa de Góngora.

Partir:

> *La aurora de azahares coronada,*
> *sus lágrimas partió con vuestra bota...*
> > Son. 348-1619

> *Con sus floridos márgenes partía*
> *si no su Amor Fileno su cuidado...*
> > Son. 355-1620

Dividir:

> *En dos labios dividido,*
> *se ríe un clavel rosado...*
> > Rom. 64-1610

El romance 69-1613, en ocasión de la beatificación de Santa Teresa, realiza una impertinente división en dos de la santa, ya que, siendo fundadora de dos órdenes religiosas, una masculina y otra femenina es:

> *Patriarca, pues, de a dos,*
> *dividida en dos fue entera...*

y por la misma razón es «medio monja, medio fraile». También dice, insistiendo en este concepto de la presencia del todo en la parte:

> dividida en dos fue entera,
> medio monja y medio fraile...

Y, nuevamente, con *medio:*

> desvanecido Nabuco,
> que pació el campo medio hombre,
> medio fiera, y todo mulo...
>
> Rom. 74-1618

Perfecto es el engaño de la décima 199-1622, donde parece invocar el auxilio divino para salir del bajío de la no-vida; habría sido el único ejemplo de acongojada invocación de Dios. En cambio, se trata de una divertida petición de adelanto de dinero a don Agustín Fiesco, administrador de sus prebendas:

> Señor, ya que sois mi remedio
> y sabéis que me he comido
> medio mes que no he vivido,
> enviadme el otro medio.

Otra fantástica mutilación, esta vez amorosa, la encontramos en el rom. 10-1582:

> No siente tanto el desdén
> con que de ella era tratado
> cuanto la terrible ausencia
> le comía medio lado...

Pero los ejemplos que se basan en mitad también nos ofrecen finísimas flores de agudeza; en primer lugar, el lamento de la pequeña Safo popular:

> Váyanse las noches
> pues ido se han
> los ojos, que hacían
> los míos velar;
> váyanse, y no vean

240

> *tanta soledad,*
> *después que en mi lecho*
> *sobra la mitad.*

Rom. 3-1580

Pero estos otros ejemplos también son eficacísimos y confirman que, en Góngora, las conexiones entre belleza de invención poética y elección técnica o temática son siempre estrechísimas:

> *La mitad de mi alma me lleva la mar,*
> *volved, galeritas, por la otra mitad.*

Seguidillas 409-1620

(¿No parece Rafael Alberti?) Pero ahora tenemos a Píramo que busca a Tisbe en el bosque nocturno:

> *De su alma la mitad*
> *cita a voces, mas sin fruto...*

Rom. 74-1618

O el atroz soneto 295-1608:

> *Mientras Corinto, en lágrimas deshecho,*
> *la sangre de su pecho vierte en vano,*
> *vende Lice a un decrépito indïano*
> *por cient escudos la mitad del lecho.*

Pero la bipolaridad no se obtiene sólo dividiendo por la mitad lechos, estaciones o almas; la bipolaridad también se puede obtener mediante la duplicación de objetos e imágenes del mundo. He aquí ojos en lágrimas:

> *Tanto lloran que en el mar*
> *entran dos Guadalquivires.*

Rom. 14-1584

En el mismo romance el monte se lamenta de que la cazadora ya no lo corra más, por el rastro de rosas y jazmines que dejaba detrás de ella y que redoblaba el abril de sus campos:

241

16

tanto que eran a sus campos
sus dos plantas dos abriles.

La hipérbole, que en la poesía italiana generalmente es *in infinitum* aparece aquí rigurosamente geometrizada, y el número se convierte en símbolo de gracia.

Pero, obedeciendo a la ley de la bipolaridad, las cosas casi siempre se dividen o multiplican por dos. Es asombrosa la cantidad de *dos* que se encuentran en los versos de Góngora. Debe haber un motivo oculto, ya que la insistencia en este número es tan descubierta, y su proporción con respecto a otros es absolutamente aplastante. Su recuento en los romances y en los sonetos da cifras asombrosas, especialmente en el caso de los primeros. En 94 romances se cuentan 78 veces «dos», «ambos» y «ambas». En 166 sonetos aparecen 39 veces. Esta diferencia entre romances y sonetos se debe, en parte, a la diferencia de planos estilísticos. En los romances, muchos dos se emplean para el cuerpo humano: ojos (astros, carbunclos, soles, copias del sol, arcos), pestañas, labios, brazos, manos, pies. Además, en los sonetos, a partir del año 1612 aparecen formas desdobladas de ambos, como «uno y otro» o «este y aquél».

La frecuencia de dos en los romances a veces es obsesionante. En el rom. 74 aparece nueve veces; en el rom. 64, ocho veces. Una mayor densidad proporcional se da en el soneto 285, en el que se le nombra cuatro veces.

Hay versos llenos de dos:

si la tierra dos a dos...

Rom. 69 1613

tenía dos saeteras
para dos ojos rasgados
a quien se calaron luego
dos o tres torzuelos bravos...

Rom. 64-1610

dos bellas copias del sol;
tan bellas que él pide rayos
a cualquiera de las dos...

Rom. 86-1621

242

> un mal vivo con dos almas,
> y una ciega con dos soles.
>
> Rom. 48-1602

> Ley de ambos mundos, freno de ambos mares...
>
> Son. 363-1620

e incluso hay versos completamente numéricos, como:

> dos a dos, tres a tres.
>
> Rom. 80-1620

Pero Góngora no se limita a usar el dos porque lo prefiera a los otros. Hay bastantes casos en que son evidentísimas sus relaciones con todo el sistema binario que hemos delineado. Precisamente, en el ejemplo siguiente se puede ver la íntima conexión que existe entre el número *dos* y las formas duales:

> Servía en Orán al Rey
> un español con dos lanzas
> y con el alma y la vida
> a una gallarda africana...
>
> Rom. 23-1587

El caballero español se divide en dos; una parte, por el Rey, la otra por la hermosa africana; sirve al primero con dos lanzas y a la segunda con otros dos bienes, el alma y la vida. Como se ve, la simetría binaria es perfecta y no se detiene aquí, ya que todo el romance está cortado horizontalmente según esta bifurcación.

3. *La compensación cuantitativa*

Pero, cuando hablamos de balanza gongorina, no nos referimos solamente a este sistema de formas duales (que podría enriquecerse de otro modo). Es cierto que se pueden encontrar en la obra de cualquier poeta, pero la insistencia con que las usa Góngora termina por convertirse en una necesidad, una dimensión en su modo de conocer el mundo, reequilibrándolo contínuamente. Una vez captado el juego de esta simetría binaria, ésta nos entra por el oído y se hace ritmo y motivo de sugestión estética, pero ciertamente no sería así si sólo tuviese una razón lúdica y hedonística.

Así pues, nuestra teoría de la balanza gongorina se ve confirmada por un elemento que, por primera vez con Góngora, pasa de los exactos territorios de la ciencia a los fabulosos de la poesía. Este elemento nuevo es la cantidad.

El mundo de Góngora está cuantitativamente estructurado. Después de haber sometido a la naturaleza a las relaciones, no vacila en someterla a esta condición, y lleva su dominio de la materia hasta la anticipación mental (y operativa) de la cantidad, que luego será poéticamente medida y expuesta.

Cómo el poeta pueda poner en el mismo plano cualidad y cantidad nos lo dice de forma nítida y casi increíble el rom. 13-1583, en el que un galeote se lamenta:

> *vertiendo lágrimas dice*
> *tan amargas como muchas...*

Que «mucho» es cuantitativo y no cualitativo («abundante») nos lo confirma la frecuente oposición con «poco» (ver ejemplos más adelante), además de su uso en plural («muchas bestias», «muchas... Cofradías»). El paso del grácil globo cualitativo del egloguismo del Renacimiento y de Herrera a este calculado naturalismo es, indudablemente, una gran conquista del Barroco. Tiempo, espacio y psicología son indagados en esta nueva clave, con una exactitud jamás poseída antes de ahora por la palabra poética:

> «¡Oh, cobarde hermosura!
> . . . .
> no huyas de un hombre más
> que sabes huir del tiempo...»
>
> Rom. 59-1609

O bien, véase este delicadísimo cálculo de la distancia de un corazón (y la bifurcación en el tercero y cuarto versos de la estrofa):

> *Y aunque el deseo de verla,*
> *para apresurarle, arma*
> *de otros remos la barquilla*
> *y el corazón de otras alas,*

> *porque la ninfa no huya,*
> *no llega más que a distancia*
> *de donde tan solamente*
> *escuche aquesto que canta...*

Rom. 5-1581

Aunque el «quantum» generalmente tenga una función reequilibradora de los dos platos de la balanza cósmica, como puede verse en estos ejemplos:

> *Cuantas al Duero le he negado ausente,*
> *tantas al Betis lágrimas le fío...*

Son. 262-1596

> *que cuantos fueron mis años*
> *tantos serán mis tormentos...*

Rom. 13-1583

> *Cuantos forjare más hierros el hado*
> *a mi esperanza, tantos oprimido*
> *arrastraré cantando...*

Son. 380-1623

Sin embargo, no faltan casos en los que se usa al contrario, para dar mayor peso al contraste, verdadero o aparente, como aquí, donde consigue traducir cuantitativamente el misterio del origen de la belleza:

> *muchos siglos de hermosura*
> *en pocos años de edad...*

Rom. 62-1610

o el misterio de la vida que huye:

> *Las venas con poca sangre,*
> *los ojos con mucha noche...*

Rom. 48-1602

versos de una concentración inigualada, que reducen y calculan la fuga de la vida en dos puntos —las venas, los ojos— que se convierten en dos últimos e indefendibles baluartes.

En el romance 30-1590, la oposición cuantitativa en vez de basarse en *poco* y *mucho*, tiene un número en lugar de uno de estos términos. Una de las razones que hacen sentir más agudamente el contraste (de una gracia numérica irresistible) es que éste se da en el interior de una poesía perfectamente simétrica reducida por el metro, cortísimo, el verso hexasílabo, al laconismo de las fórmulas matemáticas:

> Lloraba la niña
> (y tenía razón)
> la prolija ausencia
> de su ingrato amor.

Hasta aquí, la situación reducida al puro hueso, sólo con un rapidísimo inciso del autor para garantizar las condiciones objetivas de aquel llanto. Sigue una ingeniosa ecuación con dos incógnitas $x = y$. Dice que la dejó siendo tan pequeña, que apenas tenía tantos años como los que hace que la dejó; para saber uno de los dos términos, habría que conocer el otro.

> Dejóla tan niña,
> que apenas creo yo
> que tenía los años
> que ha la dejó.

A continuación viene una doble secuencia halla-deja, Luna-Sol en dos versos, que muestran en cuanto al orden sintáctico, una bimembración:

> Llorando la ausencia
> del galán traidor,
> la halla la Luna
> y la deja el Sol.

seguido de una paciente y ritual operación equilibradora del corazón:

> añadiendo siempre
> pasión a pasión,
> memoria a memoria,
> dolor a dolor.

y del estribillo:

246

Llorad, corazón,
que tenéis razón.

Interviene la madre con una perentoria alternativa:

Dícele su madre:
«Hija, por mi amor,
que se acabe el llanto,
o me acabe yo».

En la respuesta de la niña, el ritmo simétrico se trunca de golpe, durante un instante, por el atasco que inmoviliza la mecánica del dolor:

Ella le responde:
«No podrá ser, no;
las causas son muchas
los ojos son dos.

Nada nos impide transcribir la respuesta en forma de fracción impropia:

$$\frac{\text{muchas causas}}{2 \text{ ojos}}$$

Sigue una débil bifurcación:

Satisfagan, madre,
tanta sinrazón,
y lágrimas lloren
en esta ocasión,

y una comparación cuantitativa:

tantas como dellos
un tiempo tiró
flechas amorosas
el arquero Dios.

así como una proyección hacia el pasado: tantas lágrimas por cuantas flechas salieron un tiempo de aquellos ojos.

¿Hay un sentido de expiación? Reaflora la misteriosa tendencia de esta poesía a equilibrar sus balances.

En la última octava encontramos, en primer lugar, dos
oposiciones, aunque un poco confusas entre *canto-no canto*
y *canciones-endechas;* luego, un verso cuantitativo (el sexto):
con lo que; finalmente un brusco balance:

> *Ya no canto, madre,*
> *y si canto yo,*
> *muy tristes endechas*
> *mis canciones son;*
> *porque el que se fue*
> *con lo que llevó,*
> *se dejó el silencio*
> *y llevó la voz».*
>   Llorad, corazón,
>   que tenéis razón.

Triste balance totalmente negativo que Góngora no deja de
transcribir puntualmente en el doble libro del registro vital: aquí, las pérdidas, la voz; allí, las ganancias, el silencio.

La enorme importancia que en esta poesía tienen las relaciones, y que con bastante frecuencia, se resuelve, como
hemos visto, en detrimento de las cosas, afina en el poeta una
extraordinaria facultad para conmensurarlas y conmutarlas
entre sí en mil modos, en los que su identidad o conveniencia es variadamente sacrificada. Lo que el poeta desea es
que el cambio entre *a* y *b* no deje de producirse, no importa
en qué condiciones, a menos que no sean estéticas. Tomemos el caso del esclavo cristiano que rema en una galera tur-
ca. La galera llega a la vista de la costa de su patria, de
donde velas cristianas salen en su persecución. El viento a
favor ayuda a los turcos en su huida, mientras de los ojos
del forzado desaparecen «dulce patria, amigas velas»:

> *Vuelve, pues, los ojos tristes*
> *a ver cómo el mar le hurta*
> *las torres y le da nubes,*
> *las velas, y le da espumas.*
>   Rom. 13-1583

nunca se ha descrito con tanta maestría el desvanecerse de
la tierra en un día nublado, con aquel delicado paso del

gris de las torres al gris de las nubes, y del blanco de las velas al de las espumas. El poeta puede estar satisfecho de tan perfecta compensación cromática. Pero el galeote no se lo agradecerá. Sin embargo, su tendencia, como se ha dicho, o cuando menos su mayor y sensible satisfacción la obtiene cuando consigue, merced al previo cálculo de las cantidades, que los platos de la balanza estén perfectamente equilibrados. Es aquí, más que en ningún otro sitio quizás, donde sentimos al poeta en el acto de erigir, según sus propias reglas, el cosmos como un inmenso solitario de cartas, juego de paciencia y de genio que no tiene miedo de su propia soledad, ni horror ni perplejidad por la gran disponibilidad de las palabras, que él doblega a sus fines, llegando incluso a extraer de la desnuda aridez del *quantum* el calor o la sonrisa del intelecto poético.

He aquí a Felicio que encuentra vacío el nido del águila (¿pero, es un águila?) y le dice en su ausencia:

> *cuantos juncos dejáis fríos*
> *abrazo en suspiros yo.*
> Rom. 91- 1622

O a Medoro, herido, que se desangra entre los brazos de Angélica ya enamorada de él:

> *un cuerpo con poca sangre*
> *pero con dos corazones...*
> Rom. 48-1602

o la mágica aparición de Leonora:

> *Cuando salió bastante a dar Leonora*
> *cuerpo a los vientos y a las piedras alma...*
> Son. 218-1582

Sólo el poeta sabe hacer salir a Leonora *lo bastante* para dar cuerpo a los vientos y alma a las piedras. Ni un poco más, ni un poco menos. Antes de la aparición de Leonora, la Aurora, con sus colores, y los pájaros con su canto, alegraban el aire; después, en cambio:

> *ni oí las aves más, ni vi la Aurora;*
> *porque al salir, o todo quedó en calma,*
> *o yo (que es lo más cierto), sordo y ciego.*

Obsérvese cómo en un solo terceto tenemos:

1. la bifurcación entre dos sentidos, el oído y la vista (*oí-vi*);
2. el dilema *o. .o*;
3. la bifurcación *sordo* y *ciego* que enlaza respectivamente con *oí* y *vi*.

Veamos el bellísimo soneto 219-1582:

> *Al tramontar del Sol, la ninfa mía,*
> *de flores despojando el verde llano,*
> *cuantas troncaba la hermosa mano,*
> *tantas el blanco pie crecer hacía...*[6]

con *cuantas* y *tantas* colocados paralelamente al principio de los dos versos, y la imagen de la ninfa cuyo pie parece que hace crecer las flores, mejor dicho, tantas flores cuantas coge la mano: imagen dinámica que nos da idea de los movimientos de la ninfa en la llanura, mediante las flores que vuelven a levantarse a medida que su pie, al avanzar, deja de aplastarlas. Y finalmente para quien a pesar de todo siga dudando de la lúcida consciencia de la física gongorina, he aquí puras formas arquimédicas, fórmulas de máquinas simples, balanza y palanca, variadas por la posición del fulcro;[7] no podemos siquiera imaginar qué otro poeta anterior a don Luis podría haberlas empleado.

> *Tus aras teñirá este blanco toro,*
> *cuya cerviz así desdeña el yugo,*
> *como el de Amor la enferma zagaleja.*
>
> Son. 246-1585

---

6. Nótese cómo esta misma imagen del poema lucreciano, lib. I, vv. 7-8: «...tibi suavis dedala tellus summittit flores...» se gongoriza en la versión de Ungaretti: «...e, industre, la terra leggiadra fiori fa sotto i tuoi piedi sboccia-re...» *L'approdo letterario*, IX, 23-24(nuova serie), julio-diciembre 1963, p. 23.

7. El primer italiano que habla de relaciones entre poesía y máquinas simples fue Leonardo Sisnisgalli, matemático y poeta, heredero del barroco romano de Ungaretti y Scipione, en *Furor mathematicus*, Mondadori, Milano 1950.

el que rompió escuadrones y dio al llano
más sangre que agua Orión humedecido...

Son. 309-1610

A segar
más almas con el mirar
que tú con la hoz espigas.

Rom. 71-1614

hasta esta medida infinita de los abismos del cielo y de la
muerte, en que se funden física y metafísica:

sino porque hay distancia más inmensa
de Dios a hombre que de hombre a muerte.

Son. 265-1600

Nuestro estudio, realizado sobre relaciones, cantidades y
fórmulas podría inducir a pensar que el cosmos poético de
Góngora es un universo desnudo y descarnado, obediente a
sus cálculos, pero privado de sus cualidades; nada más lejos de la verdad. El formalismo de Góngora no impide, sino
que favorece la corporeización final del mundo, mediante
la restitución de objetos naturales con su pulpa, colores, olo-
res, formas y sabores, en un cálido y palpitante mosaico sen-
sorial —¡no sensual!— que justifica aquella afectuosa y ca-
riñosa definición de «profesor de los cinco sentidos» que de
él dio García Lorca en una conferencia.[8]

Hago votos por que otros quieran proseguir sobre las
huellas de mis modestas indicaciones, aunque pudiera parecer inescrutable el límite entre lo lúdico y lo gnoseológico
en el sistema poético gongorino.

---

8. *La imagen poética de don Luis de Góngora* en *Obras completas,* Losada,
Buenos Aires, 1.ª ed. 1942, VII, 85-115.

5
Glosas

Góngora y las imágenes surreales

Nada más alejado de Góngora que las técnicas de solicitación y evocación del inconsciente, que con diversa intensidad son la base de las modernas poéticas del símbolo y de lo
surreal. La suya es una inteligencia poética extremadamente despierta y adiestrada, y estimulada por el gusto aún no
teorizado, de lo nuevo, que escruta lo real en todas direcciones, abstrayendo y asociando con la más completa libertad formas y cualidades de objetos, así como sus proyeccio-
nes más remotas o absurdas. Así pues, cuando alguna de
éstas parece caer en el plano del surrealismo, para no dejar-
nos arrastrar al anacronismo, debemos remontarnos, cada
vez, al proceso intelectivo en el que ha tenido su origen. Es
como si paseásemos por un jardín experimental en el que un
genial botánico hubiera conseguido, mediante aclimatacio-
nes e injertos, los más sorprendentes resultados: frutos o flores nunca vistos antes, en ocasiones bellísimos, o plantas gi-
gantescas convertidas en enanas, o, por el contrario, humil-
des plantas que han crecido desmesuradamente. Pero en
ello no hay nada de portentoso ni de demoníaco. ¿Por ven-
tura todo esto es lejano a la naturaleza? Lo es en el sentido
de que ésta no nos lo ofrece espontáneamente; en el sentido de que lo que ha llevado a cabo una posibilidad suya no
es más que una hipótesis audaz. Pero, allí está, bajo nuestros

ojos y ya no podemos decir que esté contra la realidad natural o fuera de ella.

Entre la lúcida superrealidad gongorina y los oscuros mensajes del símbolo hay una frontera insalvable, aunque el redescubrimiento de Góngora, por una singular casualidad, se deba, precisamente, a los simbolistas franceses. «El sentido de la glorificación de Góngora por simbolistas y modernistas demuestra bien a las claras el escaso manejo de las obras del poeta. Se ensalzaba en él al escritor raro, nebuloso y casi incomprensible; al desenfrenado y revolucionario innovador. Y se creía encontrar en la obra de Góngora una justificación y un paralelo de las que hacia fines del siglo pasado y comienzos de éste se tenían por audacias. Pero hoy sabemos que la poesía gongorina, confusa y enmarañada para quien superficialmente la lee, es, en realidad, compleja y dificilísima, sí, pero estricta y libre de toda niebla, no sólo en su externo y deslumbrante colorismo, sino también en su interna trabazón sintáctica, llevada a fuerza de precisión a las lindes de lo matemático.» [1]

Lo que a veces da la impresión de que Góngora se aproxima a las modernas poéticas es su extremismo fantástico, la impavidez de su metáfora, el desafío neto y perentorio de sus elipsis e hipérboles; pero, examinados a fondo estos estilemas, se verá que no difieren cualitativamente del mundo de los tropos renacentistas y barrocos si no es, precisamente, en aquella inusitada intensidad a ultranza de su técnica. [2]

¿No es, quizás, de la hipérbole de donde salta este escarpado corte vertical de la persona del enamorado en el romance 10-1582?

1. D. Alonso, *Estudios y ensayos gongorinos*, cit. Pero junto a estos focos centrales que distinguen netamente entre sí a las dos poéticas, hay entre Góngora y Mallarmé bastantes analogías (estudiadas por F. Miomandre y Zdilas Milner), que justifican —al margen del campo estrictamente crítico y siempre como ejercicio poético personal— una nueva lectura de Góngora a través de Mallarmé, como la llevada a cabo por Ugaretti en sus versiones (*Da Góngora e da Mallarmé*, Mondadori Milán, 1948; *Góngora sous nos yeux*, en *Monde Nouveau*, 1955, p. 26).
2. La relación entre la metáfora y la estructura métrica es muy variable en Góngora, pero podríamos suponer una especie de ley de Arquímedes, especialmente visible donde la metáfora introducida en la estructura sea particularmente audaz o hiperbólica; en tal caso, la estructura tenderá, indefectiblemente, a subordinarla con una reacción igual al estímulo. Al contrario que otros poetas de su tiempo, especialmente los italianos, que parecen exhibir las metáforas no comunes, Góngora niega a éstas toda preeminencia, relegándolas a un rincón del discurso, y esta (fingida) falta de pretensiones las hace perfectamente aceptables. Véase cómo en este ejemplo la metáfora se esconde en-

No siente tanto el desdén
con que de ella era tratado,
cuanto la terrible ausencia
le comía medio lado...

Esta imagen de un hombre reducido por la nostalgia a una mitad de sí mismo se adelgaza y se alarga ante nuestra vista hasta las dimensiones de los atormentados héroes cristianos del Greco. ¿No podría ser que Góngora se sintiese sugestionado por aquellos santos y apóstoles ahusados y vacíos de peso que, precisamente en aquellos años, El Greco pintaba en Toledo? (Es célebre el soneto gongorino a la muerte del pintor: «*Esta en forma elegante, oh peregrino...*», 332-1615.) Esto nos sugiere invertir la relación. ¿No podríamos aplicar a la pintura del Greco los términos de una retórica poética y reconocer en el ondeante alargamiento de sus personajes un ejemplo de hipérbole figurativa?

Así pues, el análisis nos explicará versos como éstos:

Señora doña puente segoviana
cuyos ojos están llorando arena

aunque la árida fijeza de esta escena nos recuerde ciertos irrespirables climas surrealistas; y por lo demás, un puente hecho en forma de ojos femeninos que lagrimean sucia arena, ¿no tentaría a un Magritte o a un Dalí?[3]

Pero hay una metáfora —una metáfora dinámica, que abre una sensibilísima ventana en el tiempo— que nos ha fascinado durante mucho tiempo; por un error de lectura (previsto probablemente por don Luis), hemos creído que escapase con su irracional belleza a los instrumentos de la

tre los pliegues de los tercetos del soneto 319-1612 (dedicado al túmulo levantado por Córdoba a Doña Margarita de Austria), detrás del lúcido énfasis de las dos exclamaciones: *Dígalo el viento* y *¡Ay, ambición humana,* quedándose acurrucada en la sombra del penúltimo verso:

Pompa eres de dolor, seña no vana
de nuestra vanidad. Dígalo el viento,
que ya de aromas, ya de luces, tanto
humo te debe. ¡Ay, ambición humana,
prudente pavón hoy con ojos ciento,
si al desengaño se los das, y al llanto!

3. La imagen reaparece en *Otoño*, de Gerardo Diego: «*De tus ojos la arena fluye en un río estéril...*», *Primera antología de sus versos*, Buenos Aires, 1944, p. 91.

retórica del tiempo, como una flor del siglo xx brotada en los prados de hace tres siglos. Se trata del romance 58-1608, en el que el poeta conforta a una muchacha que sufre penas de amor, glosando el estribillo:

> *Las flores del romero,*
> *niña Isabel,*
> *hoy son flores azules,*
> *mañana serán miel.*

El estribillo viene después de dos parejas de versos:

> *Que celos entre aquellos*
> *que se han querido bien*
> *hoy son...*
> *que sospechas de amantes*
> *y querellas después*
> *hoy son...*

Un tono de melancolía bastante insólito en Góngora se funde en el cuño y en el ritmo popular. D. Alonso y J. M. Blecua han incluido el romance en su antología de la poesía de tipo tradicional,[4] y en la misma antología figuran dos composiciones anónimas que Góngora debió tener en cuenta; la una, la 138, para la triangulación flores-amores-tiempo:

> *Que todos se pasan en flores,*
> *mis amores.*
> *Las flores que han nascido*
> *del tiempo que os ha servido...*

la otra, la 287, por el color azul atribuido a los celos:

> *¡Ah, que muero de celos*
> *de aquel andaluz!*
> *¡Háganme, si muriere*
> *la mortaja azul!*

La misma Venus es llamada heráldicamente:

---

4. *Antología de la Poesía Española de tipo tradicional*, Gredos, Madrid 1956.

¡Oh azulísima Deidad
de los celos...
    Las firmezas de Isabela, vv. 328-329

De la espontaneidad popular de estos lamentos mana la
miel gongorina, abriendo una compleja perspectiva sobre
las metamorfosis del corazón y sus ilusorios sueños de doble
filo, pagados con la lenta moneda del tiempo. El sabor de
aquella deliciosa miel de la memoria se adapta tan bien al
paladar de un moderno lector de poesía, que no nos importa asegurarnos de la legitimidad —lógica— de la relación entre ella y las flores del romero. La aceptamos como un símbolo y basta.

¿Pero el símbolo no es una contradicción de la poética
gongorina?[5] Una respuesta que corrige este —no del todo in-
voluntario— lapsus estético nos la da la poesía moderna española, en la que el tema de las flores azules ha tenido una
curiosa continuación. En efecto, dos poetas vuelven a meter-
las de nuevo en el circuito de la poesía. Dos poetas como García Lorca y Antonio Machado, cuya actitud ante la lírica gongorina es completamente opuesta. En efecto, García Lorca
adhiere entusiásticamente al homenaje que los poetas de
su generación tributan a Góngora en el tercer aniversario
de su muerte; en cambio, Machado acusa a Góngora de haber congelado la emoción lírica, alterando la poesía de arte
del tiempo en arte del espacio, intemporal y silogístico.

Y, sin embargo, en *Nuevas Canciones* (1917-1920) volvemos a encontrar la imagen gongorina fundida en la pintura
de un paisaje machadiano en los límites del sueño:

> *¿Quién puso entre las rocas de ceniza,*
> *para la miel del sueño,*
> *esas retamas de oro*
> *y esas azules flores del romero?*

Aquí está todo: las flores azules del romero, la miel, ahora

5. Tiene razón Bousoño: «A veces gusto de imaginar la sorpresa que un Góngora tendría, si resucitado de pronto, leyese los versos de nuestros contemporáneos. Seguramente hubiese tardado mucho en poder adaptar su mente y su
sensibilidad a las nuevas imágenes poéticas. Porque en toda la poesía contemporánea, desde Bécquer hasta nuestros días, se ha utilizado, con mayor
o menor abundancia, según los períodos, una suerte de imágenes cuya estructura difiere *esencialmente* del tipo usado con anterioridad.» Carlos Bousoño,
La poesía de Vicente Aleixandre, Gredos, Madrid, 1956, p. 115.

decididamente simbólica, y algo más, que por ahora no vemos. El poeta, habiendo descolorido con la conceptualización *miel del sueño* el primitivo cromatismo gongorino, enriquece y reaviva la paleta con el amarillo dorado de las retamas. El estribillo de Góngora se convierte así en meditado color en el que convergen alma y paisaje; a éste, Machado añade su sello personal con los tonos cenicientos de las rocas que sirven de fondo. En los versos que siguen, los dos tonos, azul y oro, se dilatan en una correspondencia más vasta, en paisajes amplios y limpios que incluyen los montes color violeta y el azafrán del cielo:

> *Las sierras de violeta*
> *y, en el poniente, el azafrán del cielo,*
> *¿quién ha pintado? El abejar, la ermita,*
> *el tajo sobre el río, el sempiterno*
> *rodar del agua...*

No hay duda de que detrás de la pareja flores azules-miel y la sucesiva dilatación tonal sierras de violeta-cielo de azafrán se encuentra el romance gongorino. Pero, mientras la miel gongorina se obtenía (estilísticamente) a través de un proceso —habitual en Góngora— de concretización de lo abstracto, y, en éste caso, de una prometida dulzura de las memorias, en la variante machadiana se convierte en miel del sueño, destilación del sueño en el corazón del poeta, participando en todo el cordial sistema dialéctico sueño-realidad, estudiado recientemente por O. Macrì («...si tratamos de penetrar las cosas y referimos su existencia a nosotros mismos, el mundo exterior se disipa; pero, si estamos convencidos de su íntima realidad, todo nos parece venir de afuera y, entonces, lo que se desvanece es nuestro mundo interior. No queda más que tejer el hilo exterior, *soñar nuestro sueño...*»).[6]

Si de Machado pasamos a García Lorca no tardamos en convencernos de que las dos lecturas del romance gongorino en los dos poetas modernos son absolutamente independientes la una de la otra y alcanzan resultados muy distintos. Después de la utilización simbólico-cromática que hemos observado en Góngora, vemos a García Lorca utilizar el estribillo gongorino con efectos exclusivamente fónicos y mu-

---

6. *Poesie di Antonio Machado*, de Oreste Macrì, Lerici, Milán, 1959, p. 132.

sicales. En efecto, el estribillo de Góngora tiene —con la rima *Isabel-miel* y con *azul* (*es*)— una gracia musical de Cascabel capaz de alegrísimas vibraciones. García Lorca la capta con su alegría y hace sonar agudamente sus campanillas para divertir a una niña, la hija de un poeta, Solita Salinas:

> *Amanecía*
> *en el naranjel.*
> *Abejitas de oro*
> *buscaban la miel.*
>
> *¿Dónde estará*
> *la miel?*
>
> *Está en la flor azul,*
> *Isabel.*
> *En la flor,*
> *del romero aquel.*
>
> *(Sillita de oro*
> *para el moro.*
> *Silla de oropel*
> *para su mujer.)*
>
> *Amanecía*
> *en el naranjel.*[7]

La poesía forma parte de un grupo de *Canciones para niños.* García Lorca acentúa en ellas una grafía de grabado chino, entre las que llueven con una risa aguda y sonara las rimas en *el* que se multiplican en ecos: *naranjel-miel-Isabel-aquel-oropel* y el otro grupo *oro-moro-oropel*, así como los diminutivos *abejitas de oro* y *sillitas de oro.* García Lorca mantiene —es cierto— la pareja oro-azul, pero la función cromática aquí es netamente secundaria, y, además, los colores tienen una función más simbólica que pictórica. Aquí el oro sugiere un fabuloso preciosismo; en cuanto al azul, un crítico lorquiano que ha estudiado el simbolismo de algunos colores en Federico, Jaroslaw M. Flys,[8] atribuye al azul el significado de inocencia, esperanza, ilusión: significados perfectamente aceptables en una canción, como ésta, para niños.

---

7. *Obras completas*, Madrid, 1955, — 299.
8. *El lenguaje poético de Federico García Lorca*, Madrid, 1955.

¿Coincide este azul de García Lorca con el azul del romance gongorino? No, es exactamente lo opuesto. El azul de Góngora indica un más complejo teclado de sentimientos. Ya hemos visto su posible procedencia de la tradición popular. Las flores azules de Góngora representan los celos, las sospechas, las penas que sufre quien ama —las que, sin embargo, un día llorará y se harán miel en su alma—; la imagen está, así, formada por dos elementos dialécticamente en contraste; flores, en cuanto son penas de amor, pero azules en cuanto no hacen daño. El azul en Góngora son los cardenales del alma.

Pero hay un elemento, que tácito más que sobreentendido en Góngora, está, en cambio, extrañamente presente en los dos modernos. Son las abejas de oro de García Lorca y el abejar de Machado. Así pues, no sólo la memoria, sino las abejas, colaboradoras interesadas en tal transformación, son el vehículo natural que lleva la imagen de las flores del romero hasta la miel. Este es el personaje cuya presencia en la escena del romance gongorino deberíamos haber intuido. Con un habilísimo juego de manos, Góngora lo ha hecho desaparecer ante nuestros ojos dejándonos distraídos detrás de las prestigiosas apariencias surreales de la imagen, independientemente de que haya sido él el inventor del estribillo o de que lo haya tomado de la tradición.[9]

¿Pero, no es una curiosa coincidencia que los que sintieron la necesidad de restaurar aquel término intermedio y de rescatarlo del fondo de la elipsis en que don Luis lo había dejado caer, fueran dos poetas modernos tan distintos a él (y entre sí) y bastante menos obligados que él a la racionalidad? Las flores azules del romero parecen un desafío de Góngora a las poéticas de nuestro siglo.

Étimo y esencia del Barroco

La *Fábula de Polifemo*, como hemos visto, muestra en manera ejemplar a través de sus dos personajes, Galatea y Polifemo, la asombrosa aspiración del Barroco a convivir con su propio enemigo: la forma con lo informe, las líneas

9. Tradicional para Gonzalo Correas, probablemente original para P. Henríquez Ureña, *Estudios de versificación española*, Universidad de Buenos Aires, 1961, p. 165.

cerradas con las abiertas, lo geométrico con lo grotesco. La bárbara gruta de Polifemo, formidable bostezo de la tierra, responde a una constante tenaz de la poesía y de las artes barrocas, a la que creemos se deba relacionar la tentativa de lanzar un puente entre étimo y esencia del barroco mismo.[1]

En efecto, hay que descartar la tesis de barroco como forma de silogismo, por una consideración bastante simple que demuestra su anti-historicismo. Sabemos que el Barroco nace como un arte plástico y figurativo, y sabemos que su aplicación al campo de las artes verbales es un hecho reciente, que sobreentiende la abolición de fronteras —modernamente lograda o intentada— entre los diversos lenguajes artísticos. Tomar prestado de la lógica, con una metáfora capciosa e impopular, el nombre de un fenómeno artístico, representa, pues, un vicio de perspectiva por nuestra parte. El nombre del Barroco no puede pertenecer más que al campo visual; es decir, a la tesis del *barroco*. Y, como punto de partida, estoy de acuerdo con la defensa que de ello hace el profesor Tapié, basándose en el concepto de irregularidad sugerido por la perla barroca o barrueco. Estamos de acuerdo, en el sentido de que no tenemos necesidad de una palabra cualquiera, sino de una palabra que lleve dentro de sí, aunque sea embrionariamente, la explicación de un hecho. ¿Y de qué hecho se trata en este caso? De un hecho figurativo.

Pero, junto al significado de perla irregular, en toda la esfera ibérica hay otro significado que colude continuamente con el primero; mejor dicho este significado es el primero, y el de perla irregular es el segundo, como podemos ver en Corominas, que en la voz BERRUECO dice: «*Port. barrôco*» «*peñasco granítico*», «*perla irregular*»; barroca «*peñasco*»; *cat. dial(maestr.)* barroco «*dureza causada en la cabeza por una piedrada*»...[2] Sabemos muy bien que la difusión del vocablo en Francia se debe a la pequeña perla berrueco; sin embargo, es evidente que en el interior del vocablo se ha producido una transmigración de sentido, de la roca a la perla. Esta última, por su irregularidad, ha tomado el nombre de la áspera superficie de la roca granítica: es difícil creer lo contrario. En cualquier caso, a nosotros nos interesa destacar que, indefectiblemente, hay un único denomi-

1. Lo que sigue a continuación es el resultado de una comunicación presentada en el Congreso sobre el tema Manierismo, Barocco, Rococó", cit.
2. Espasa-Calpe, Madrid 1950, 5.ª ed., vol. IV, pp. 278-279.

nador: la aspereza, la glabra e irregular superficie de la roca.

Se nos ocurrió esta idea leyendo un paso del *Quijote*, donde se habla de dos fuentes que un caballero encuentra en el fondo de las aguas: la primera fuente es artística, hecha de jaspe y bruñido mármol; la otra está formada *grotescamente* (*a lo brutesco*) con pequeñas conchas, con casitas de caracolas, trocitos de cristal brillante y esmeraldas falsas, colocadas en un *orden desordenado* para crear un pintoresco conjunto, «de modo que el arte, imitando a la naturaleza, parece que allí la venza».

No podemos eludir la idea de que nos encontramos ante dos símbolos. La primera fuente es la del Renacimiento; la otra es del Barroco, más aún, de un Barroco que ya lleva en sí las soluciones del Rococó. La alternativa, y la correspondencia, son perfectas: por una parte, una superficie bruñida, por la otra, una superficie áspera, accidentada. De un lado, la exquisita elaboración «artística»; del otro, lo tosco, lo grotesco. De esta parte, las puras formas obedientes a la *ratio;* de la otra, una reproducción de la naturaleza que rechaza toda estilización, que prefiere el desorden, la irregularidad, la anarquía, atrayendo a su propio juego las incalculables combinaciones de la casualidad, es decir, lo informe; la reproducción de lo informe que hay en la naturaleza.

Si aceptamos esta integración, entonces tendremos ante nosotros, no un vocablo muerto, sino una clave viva para comprender el sentido y cualidad de la acción que ejerce la naturaleza sobre la sensibilidad barroca. ¿Podemos seguir considerando fortuito, y sólo *a posteriori* colmado de un contenido extraño, el étimo lusitano, cuando el primer ataque desencadenado por la naturaleza al pulido mundo de la medida ideal tiene lugar, después del decorativo mudéjar del estilo plateresco y mientras en Italia se está en pleno Renacimiento, precisamente con la arquitectura manuelina? De esta arquitectura escribe Elie Lambert (*L'art en Espagne et au Portugal*):[3] «*La mer avec sa faune et sa flore ainsi que les agrès et les cordages des navigateurs apporte a son décor leur contribution.*» Esta analogía marinera —de erosionadas escolleras y nudos marinos— la vemos en las ventanas de la iglesia de los Templarios en Thomar. Y forestas de lianas,

3. París 1945, p. 62.

y grutas gélidamente flameantes de estalactitas y estalagmitas en todo el arco del arte colonial español y portugués. Piénsese en el altar de Tepotzolán; se explicará así el diseño del arco de la fuente de *Saint-Gervais* (citado por Tapié en *Baroque et Clasicisme*),[4] donde vemos a las columnas que vuelven a ser lo que fueron en el alba de la arquitectura: troncos de árboles rozagantemente empenachados. Y, para no ir tan lejos, el papel de lo informe en la fantasía berniniana, sus contrapuntos plásticos de escollos y nubes.

El profesor Sánchez Cantón[5] avanzó en España la hipótesis de que barroco podía venir de *abrojos*, que significa «cardos» y «rocas que surgen del mar». Aunque no se condivida esta hipótesis, viene a confirmar por otra vía, aquella raíz de roca que consideramos el símbolo secreto del Barroco, y que, secretamente, perdurará hasta encarnarse en las *rocailles* del Rococó.

El caballo de bambú

En el cancionero de las *Trecento poesie T'ang*, editado por Martin Benedikter en la editorial Einaudi,[1] encontramos constantemente ejemplos de una poesía que parece destinada a un delicado consumo provinciano, tal es la premura por colocar dentro de los límites definidos de una profunda provincia china los afectos del corazón y de la memoria. Pero quien nos ofrece el paradigma de esta ordenada y pulidísima técnica es Li Po:

> *Sempre ti penso*
> *a Ch'ang-an,*
> *dove il grillo domestico d'autunno*
> *stride.*[2]

Ch'ang-an, como el inmóvil fiel de una balanza, equilibra memoria y paisaje, sugiriendo una identidad o una posibili-

4. París 1957.
5. Esta tesis de Sánchez Cantón fue reafirmada en su comunicación presentada en el mismo Congreso anteriormente citado.
1. Turín, 1961.
2. Siempre ᵗe pienso/en Ch'ang-an/donde el grillo doméstico de otoño/chirría (versión del traductor).

dad de intercambio entre el vago pensamiento amoroso, en el primer verso, y la escena, extremamente precisa, con sus rumores y su acongojadora estación, en el tercero.

Pero lo que nos sorprende en Li Po, por otras razones es el comienzo de la Ballata di Ch'ang-an:

I capelli a pena mi scendevano in fronte,
coglievo fiori, davanti alla porta giocavo.
Tu in sella al cavallo di bambù venivi
intorno al muretto del pozzo a scherzare con le verdi susine.
Insieme crescemmo in una via di Ch'ang-an,
due bambini senza crucci né dubbi.[3]

Si bien no nos es posible comparar con el texto original, en la versión italiana hay dos puntos que, en nuestra opinión habría que retocar. ¿Aquel *a pena* (a duras penas) del primer verso, no será *appena* (apenas)? Tal como está escrito da una impresión de esfuerzo doloroso que altera el alcance de la imagen. Sospechamos que hay otra alteración en el verso cuarto, que por una excesiva dilatación semántica termina por significar poco. ¿Cómo habrá podido bromear con las ciruelas el muchachito chino? ¿se trata de una broma (scherzo) o de un juego (gioco)? ¿Habrá intentado cogerlas desde la grupa imaginaria de su caballo de bambú?

Así pues, el chiquillo chino irrumpe en la calle de Ch'ang-an montado en su caballo de bambú, da vueltas orgullosamente alrededor del pozo e intenta alzarse de la silla para amenazar a las verdes ciruelas, tal vez con una caña que tenga en la mano —es la fusta—, mientras la chinita cogiendo flores y jugando a la puerta de su casa, lo observa, probablemente a hurtadillas, bajo el flequillo todavía demasiado corto. El tiempo hace crecer juntos en la vieja calle de Ch'ang-an a los dos niños con sus juegos, paralelos, pero secretamente convergentes.

¿Dónde hemos visto algo extraordinariamente parecido? Lejos, muy lejos de Ch'ang-an: en Córdoba, en la Córdoba de don Luis de Góngora. Por cuanto remota sea la poesía de Góngora con respecto a la de Li Po, la escena inicial de la *Balada de Ch'ang-an* es idéntica a la escena final del roman-

3. Los cabellos a duras penas me cubrían la frente,/cogía flores, ante la puerta jugaba./Tú montado en el caballo de bambú venías/alrededor del brocal del pozo a bromear con las verdes ciruelas./Juntos crecimos en una calle de Ch'ang-an,/dos niños sin penas ni dudas (versión del tràductor).

ce *Hermana Marica;* en el segundo se encuentran exactamente los mismos elementos que en la primera. Pura coincidencia, evidentemente, visto que el poeta cordobés no podía conocer a Li Po. Pero, tras la semejanza, mejor dicho, la identidad de situaciones, entre la parejita china y los dos terribles niños andaluces hay una enorme diferencia.

En el romance de Góngora el que habla es el niño. Se dirige con rápido parloteo a su hermana Marica, paladeando con una meticulosa precisión los juegos del día siguiente, el domingo:

> *Hermana Marica,*
> *Mañana que es fiesta,*
> *no irás tú a la amiga*
> *Ni iré yo a la escuela.*

Es un largo romancillo de unos ochenta versos, que nunca ha sido traducido al italiano. En efecto, promete poca gloria a los presuntos traductores, sea por la intrínseca dificultad del metro, a caballo entre la poesía y la prosa, sea, en este caso, por la seca concantenación de hechos, poco dispuestos a dejarse meter en el lecho de Procustes del hexasílabo. Poco a poco, ante nuestros ojos surge la viva estampa de un barrio andaluz, evocado, quizás, con una excesiva abundancia de detalles, mediante la descripción de vestidos, parentescos, relaciones y usos. Este muchachito es una perfecta muestra sacada de una sociedad meridional y católica, amante de galas, de paradas militares y ceremonias religiosas. Es un mundo que identifica la vida con su observación, y la moralidad con la malicia. Y el muchacho, matasiete, charlatán y malicioso, así como el chinito de Li Po nos aparece encerrado en la abstracción de su carrusel solitario, está ya perfectamente aguerrido en las técnicas del vivir del mundo que lo rodea. Tan aguerrido que nos deja sin aliento con su precoz gusto del pecado o, por lo menos, del juego prohibido. Véase este perfecto final sorpresa:

> *Y en mi caballito*
> *pondré una cabeza*
> *de guadamecí,*
> *dos hilos por riendas;*
> *y entraré en la calle*
> *haciendo corvetas.*

Yo, y otros del barrio,
que son más de treinta,
jugaremos cañas
junto a la plazuela,
porque Barbolilla
salga acá y nos vea;
Barbola, la hija
de la panadera,
la que suele darme
tortas con manteca,
porque algunas veces
hacemos yo y ella
las bellaquerías
detrás de la puerta.

Foulché-Delbos considera que este romance es uno de los primeros de don Luis y lo fecha en 1580, cuando el *poeta* tenía diecinueve años. La juventud del poeta y su adhesión —en este caso— a las estructuras, y, a través de las estructuras, a los modos y contenidos populares, mantienen a esta composición al margen de la intrincada cuestión del estilo (o de los estilos) de Góngora. Sin embargo, el romance no es bastante periférico como para que no se puedan destacar en él dos elementos destinados a permanecer constantes aun a través de laboriosas evoluciones. El primero —y más evidente— es la pasión de los objetos y de su incisiva colocación en el espacio. Este realismo visivo —gloria e infierno de la poesía meridional— en otro romance coetáneo a éste (*La más bella niña*) es definido por Góngora (pero referido al objeto amoroso): «*el sabroso oficio del dulce mirar*».

Hay otra cosa que creemos reconocer en la obra posterior gongorina: aquel mismo sentido de impertinencia y de desafío del poeta al lector, pero fallido, traspuesto del plano de los contenidos al de la técnica, componente de su máscara de sibilina impenetrabilidad, de extremismo fantástico y técnico. Alto desafío barroco, que es lo que el público querría de la poesía, y del cual, la común interpretación que se da de la poética de la maravilla, no es más que una banal acepción.

Hemos visto como en los poetas renacentistas los ríos que se hallaban al alcance de su experiencia sufrían la misma desvalorización que experimentaba, en general, todo lo real respecto a los tópicos fabulosos de la tradición clásica, y cómo, con Góngora, empieza la revalorización de los ríos reales, de los ríos que él vio realmente durante sus viajes por la península; y viajes (debido a sus extraños encargos) hizo bastantes por toda España, y siempre pintó casi únicamente paisajes con ríos. Se diría que sólo el río lograba darle el sentido de un paisaje y le permitía fijarlo. ¡Y con qué sabiduría lo hace! Le basta una fugaz anotación visiva —u olfativa—, y, a veces, aún menos: un adjetivo a una sombra. Otras veces nos sucede que sentimos como si el ritmo del verso expresara algo más que sí mismo: será el curso del río que se refleja en él, con su movimiento y sus vacilaciones: «*arroyos prodigiosos, ríos violentos*» (261-1569). Cada río está perfectamente localizado y se le atribuye una sensación que lo distingue de los otros y cuya frescura prueba que el poeta escribe teniendo el paisaje ante su vista o ante su recuerdo reciente.

Entonces, ya que tanto por lo que se refiere a las fechas de los viajes de Góngora, como por lo que respecta a la fecha de sus poesías nos movemos en un terreno que se basa, prevalentemente, en indicios, ¿no nos podría servir en algún caso el testimonio de los ríos para comparar las fechas de sus viajes y las de sus poesías? Esta posibilidad ya fue intuida por Artigas,[1] cuando pone en relación el viaje de Góngora a Palencia con el romance 45:

> *Las aguas de Carrión,*
> *que a los muros de Palencia...*

o la enfermedad de Góngora en Salamanca con el soneto 259:

> *Muerto me lloró el Tormes...*

o el viaje a Cuenca con las estrofas de:

---

1. Miguel Artigas, *Semblanza de Góngora*, Madrid 1928, p. 23.

Pero la relación está tan llena de desacuerdos, de puntos oscuros y de otros que parecen claros, pero que no lo son en absoluto, que todavía se puede seguir esta pista fluvial con buenos resultados.

Por ejemplo, en el cuadro de los viajes laboriosamente reconstruido por Artigas no encontramos Granada. ¿Es posible que Góngora nunca fuera a Granada? Hemos visto que Góngora nombra varias veces a los dos ríos granadinos, el Dauro (Darro) y el Genil; y si en algunas ocasiones se los nombra de modo vago y general, al menos hay dos poesías que no dejan lugar a dudas sobre el hecho de que Góngora conocía Granada: se trata del romance 22, en el que se describe la ciudad, y el famoso soneto 244 a Córdoba, en el que jura que, estando junto al Darro y al Genil, nunca lo ha abandonado la memoria de su patria. El romance nos muestra al joven viajero estimulado por mil cosas nuevas que ve, prisionero del encanto de Granada y del hechizo de su absorto sueño de pasadas grandezas:

> *Ilustre Ciudad famosa*
> . . . .
> *a quien dos famosos ríos*
> *con sus húmedos caudales*
> *el uno baña los muros*
> *el otro purga las calles...*

No hay duda de que se encuentra en Granada cuando escribe este romance; nos lo dice él mismo y no hay razón para no creerlo:

> *En tu seno ya me tienes*
> *con un deseo insaciable*
> *de que alimenten mis ojos*
> *tus muchas curiosidades...*

Pero, poco después se retractará de un modo bastante curioso. En el soneto 244, posiblemente ya ha dejado Granada y está en viaje hacia Córdoba, y la impaciencia por ver de nuevo la patria adelanta su visión esencializándola en sus líneas más puras:

¡Oh excelso muro, oh torres coronadas
de honor, de majestad, de gallardía!
¡Oh gran río, gran rey de Andalucía,
de arenas nobles, ya que no doradas!

Y aquí, sin que nadie le pida explicaciones, como un amante que se quiere disculpar a los ojos de su amada de cualquier sospecha de infidelidad, se pone a jurar solemnemente que durante todo el tiempo que estuvo en Granada, la memoria de su ciudad nunca lo abandonó, más aún, ha sido su alimento:

Si entre aquellas ruinas y despojos
que enriquece Genil y Dauro baña
tu memoria no fue alimento mío,
nunca merezcan mis ausentes ojos
ver tu muro, tus torres y tu río,
tu llano y sierra, oh patria, oh flor de España!

Donde el mismo signo, *alimentar, alimento,* es el índice de la contradicción. ¿Pero se contradice realmente el poeta, o no se trata, en cambio, de dos diversos planos afectivos?

Así pues, añadamos este viaje a Granada a la serie de los viajes de Góngora que Artigas ha investigado con tanta paciencia. ¿Pero en qué año debemos situarlo? Foulché-Delbosc y Millé y Giménez coinciden en fechar el soneto 244 en 1585, y el romance 22 en 1586; pero, evidentemente, se trata de un error, ya que como hemos visto, el romance es anterior al soneto, a menos que se quiera suponer que el poeta hizo, no uno sino dos viajes a Granada a la distancia de un año; además, aquella curiosa afirmación de fidelidad y la señal *alimentar-alimento* hacen pensar que se trata del mismo viaje. Por ello, las dos composiciones son del 1585 o del 1586. Podría ser que el viaje tuviese lugar a caballo entre los dos años, pero en ese caso habría que invertir las fechas de las dos poesías.

Otro punto de desacuerdo entre la biografía y las fechas de Millé y Giménez nos lo sugiere otro río: el Carrión, en el romance 45:

Las aguas de Carrión,
que a los muros de Palencia,

> *o son grillos de cristal*
> *o espejos de sus almenas...*

Artigas lo relaciona con el viaje que hizo Góngora a Palencia hacia 1588 para investigar sobre la pureza de sangre del inquisidor Reynoso. (Es el viaje en que, a la vuelta, se detuvo bastante tiempo en Madrid por una enfermedad real o fingida.) La cosa parece bastante probable, pero Millé y Giménez, siguiendo a Foulché-Delbosc, fecha nuestro romance en 1599.

El romance desarrolla un tópico gongorino: un pescador, que llorando su amor, aumenta con sus propias lágrimas el caudal del río. La hipérbole muestra la condescendencia un poco irónica que el poeta tiene habitualmente hacia los temas amorosos. Pero los cuatro primeros versos encierran la escena fluvial en una perfecta luminosidad impresionista: el río que ciñe la ciudad, el brillo de oscuros reflejos metálicos (*los grillos*), el lento curso que permite a las murallas de la ciudad reflejarse en él con sus almenas. La luz de esta escena está captada con una tal precisión, que hace pensar que los versos brotan de una impresión inmediata, o todo lo más, de un recuerdo todavía fresquísimo. No es posible aceptar la fecha de 1599. Quien sienta aquellas exactas vibraciones de luz en el aire y en el agua (que curiosamente se anticipan a Corot), no puede aceptar la idea de que el Carrión brote de un viejo recuerdo sepultado doce años atrás entre los pliegues de la memoria.

Colección novocurso

Biblioteca de ciencias humanas

1. LAS INTERNACIONALES OBRERAS. — Annie Kriegel
Una historia resumida de las Internacionales Obreras. La autora, con frase ágil y de gran densidad de contenido, hace un documentado estudio del complejo proceso histórico en el que se organizó y desarrolló el movimiento obrero.

2. UNA MINORIA PROFETICA. — Jack Newfield
Los jóvenes radicales —la Nueva Izquierda— son un pequeño porcentaje entre los universitarios norteamericanos. Newfield piensa que este puñado de hombres dejará su impronta en nuestra época y que constituye una «minoría profética» que afectará la historia de los Estados Unidos.

3. ESTETICA Y MARXISMO. — Garaudy, Sartre, Fischer
El marxismo no es sólo una teoría política o una ciencia económica, es una concepción del universo que, como tal, ha de plantearse todo aquello que concierne al hombre. ¿Los marxistas preconizan una forma de hacer y criticar el arte?

4. SOBRE EL MODO DE PRODUCCION ASIATICO.
Godelier, Marx, Engels
Marx y Engels hablaron en sus escritos de un modo de producción con características propias que no respondían a las formas comunes de evolución económica de nuestra historia: el modo de producción asiático.

5. TEORIA CRITICA DE LA SOCIEDAD. — G. E. Rusconi
La concepción de la lucha transformadora de la sociedad por parte de autores tan representativos como Lukàcs, Adorno, Korsch, Marcuse y Horkheimer son estudiadas críticamente en este libro poniendo al desnudo sus mitificaciones, arrigorismos e incomprensiones a la par que se destacan sus hallazgos fundamentales. El análiis de 50 años de marxismo y sociología crítica.

6. ESTRUCTURALISMO Y MARXISMO. — Trías, Garaudy, Weber
La variedad y autoridad de los trabajos que aquí se reúnen concurren en ofrecernos una confrontación entre dos de las corrientes de pensamiento que mayor vigencia tienen en nuestro tiempo.

7. LITERATURA Y SOCIEDAD. — Barthes, Lefebvre, Goldmann
La literatura es, además de un arte, un hecho sociológico íntimamente ligado a las situaciones sociales en que se produce. Este libro es, a la vez un postulado teórico y un intento práctico de estudiar el arte literario desde el prisma científico de la sociología.

8. EL HOMBRE NUEVO. — Kosik, Leontlev, Lurla
Para el «nuevo humanismo» el universo gira en torno al individuo que, de esta forma, adquiere una dimensión histórica que requiere replantearse la concepción alienada que nos legara el pensamiento burgués. Representantes del humanismo marxista resuelven aquí algunos problemas fundamentales para esta concepción.

9. ROUSSEAU Y MARX. — Galvano della Volpe
El desaparecido profesor italiano, superador de la instancia hegeliana del marxismo y férvido constructor del marxismo científico, plantea en este libro el problema de las democracias avanzadas burguesas frente a la democracia socialista.

10. CRITICA DE LOS FUNDAMENTOS DE LA PSICOLOGIA. G. Politzer
Según Althuser los «geniales errores» de Politzer siguen siendo fulcro de una concepción crítica del pensamiento todavía válida y poco asimilada por las generaciones posteriores. En este libro Politzer critica y valora los fundamentos de la psicología siguiendo los esquemas de interpretación marxista.

11. ONTOLOGIA DE HEGEL. — Herbert Marcuse
El mayor intento por parte de Marcuse de sistematizar teóricamente su propio pensamiento. Una obra especulativa, en el sentido restringido de la palabra, que inaugura la puntillosa serie de análisis de obras hegelianas, características de los trabajos sucesivos de Marcuse.

12. LOS ANALES FRANCO ALEMANES. — Karl Marx y Arnold Ruge
Por primera vez en castellano una edición crítica de la revista publicada por Marx y Ruge en París en febrero de 1844.

13. LAS UTOPIAS SOCIALISTAS. — A. L. Morton
El autor traza el desarrollo de la utopía en la literatura inglesa, desde Tomás Moro, a través de Bacon, Swift y Morris, hasta las fantasías actuales de Wells, Aldous Huxley y Orwell, mostrando cómo la concepción de las utopías varía según las variables condiciones sociales.

14. FREUD: SU PENSAMIENTO POLITICO Y SOCIAL. — P. Roazen
El profesor Roazen ha emprendido la ardua tarea de sistematizar con todo rigor científico el pensamiento real de Freud, destacando los contenidos teóricos y prácticos de su concepción del universo.

15. LA EVOLUCION DE LA DIALECTICA. — Abbagnano, Paci, Viano, Garin, Chiodi, Rossi, Bobbio
Valiosos estudios acerca de la noción de dialéctica y su historia. El acervo de documentación que ofrece este volumen representa una importantísima contribución al estudio de la historia de la filosofía.